D1358931

UAO
Universale d'Avventure e d'Osservazioni

Laura Ingalls Wilder
Sulle rive del Plum Creek
traduzione di Claudia Porta

ISBN 978-88-6145-946-5
Prima edizione italiana gennaio 2016
ristampa   8   7   6   5   4   3   2   1   0
anno   2020   2019   2018   2017   2016

© 2016 Carlo Gallucci editore srl - Roma

Titolo dell'edizione originale: *On the Banks of Plum Creek*
testo © 1937, 1965 Little House Heritage Trust
illustrazione a pagina 197 © 1953 Garth Williams
illustrazione a pagina 197 rinnovo © 1981 Garth Williams
disegno di copertina Garth Williams

La presente edizione è pubblicata in accordo
con HarperCollins Publishers, New York.

galluccieditore.com

Il marchio FSC® garantisce che la carta di questo volume contiene cellulosa proveniente da foreste gestite in maniera corretta e responsabile secondo rigorosi standard ambientali, sociali ed economici.
L'FSC® (Forest Stewardship Council®) è una Organizzazione non governativa internazionale, indipendente e senza scopo di lucro, che include tra i suoi membri gruppi ambientalisti e sociali, comunità indigene, proprietari forestali, industrie che lavorano e commerciano il legno, scienziati e tecnici che operano insieme per migliorare la gestione delle foreste in tutto il mondo. Per maggiori informazioni vai su www.fsc.org e www.fsc-italia.it

Tutti i diritti riservati. Senza il consenso scritto dell'editore nessuna parte di questo libro può essere riprodotta o trasmessa in qualsiasi forma e da qualsiasi mezzo, elettronico o meccanico, né fotocopiata, registrata o trattata da sistemi di memorizzazione e recupero delle informazioni.

Laura Ingalls Wilder

Sulle rive del Plum Creek

La casa nella prateria ❷

Gallucci

Sulle rive del Plum Creek

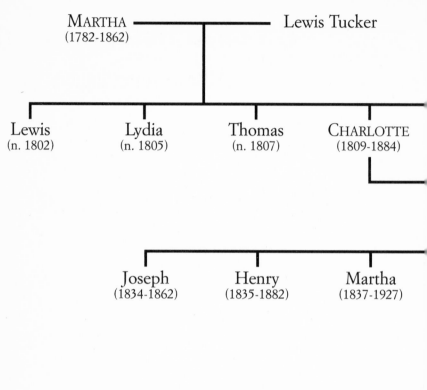

MARTHA
(1782-1862)

Lewis Tucker

Lewis
(n. 1802)

Lydia
(n. 1805)

Thomas
(n. 1807)

CHARLOTTE
(1809-1884)

Joseph
(1834-1862)

Henry
(1835-1882)

Martha
(1837-1927)

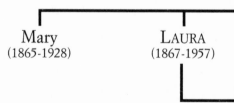

Mary
(1865-1928)

LAURA
(1867-1957)

La casa nella prateria

Albero genealogico

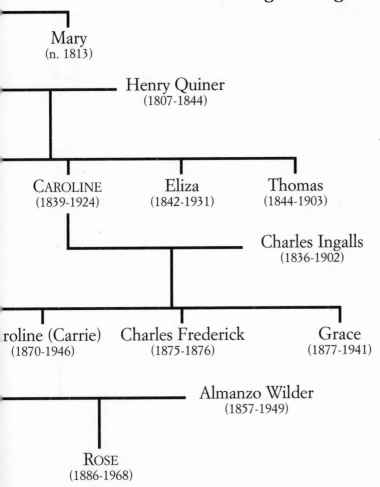

Mary
(n. 1813)

Henry Quiner
(1807-1844)

CAROLINE
(1839-1924)

Eliza
(1842-1931)

Thomas
(1844-1903)

Charles Ingalls
(1836-1902)

...roline (Carrie)
(1870-1946)

Charles Frederick
(1875-1876)

Grace
(1877-1941)

Almanzo Wilder
(1857-1949)

ROSE
(1886-1968)

La porta sotto terra

Papà fermò i cavalli. Nella prateria le tracce leggere lasciate dal carro si interruppero.

Quando le ruote smisero di girare, Jack si abbandonò sotto il carro, all'ombra tra di esse. La sua pancia sprofondò nell'erba e le zampe anteriori si stirarono. Il muso si appoggiò in un incavo morbido. Il suo intero corpo era rilassato, a eccezione delle orecchie.

Ogni giorno, per tanti, tanti giorni, Jack aveva camminato sotto il carro. Aveva camminato dalla casetta di tronchi nel territorio indiano attraversando il Kansas, l'Iowa e buona parte del Minnesota. Aveva imparato a riposarsi ogni volta che il carro si fermava.

Laura si alzò, e così fece Mary. Avevano le gambe doloranti a causa dell'immobilità.

«Deve essere questo il posto» disse papà. «Lungo il ruscello, a ottocento metri dalla casa dei Nelson. Abbiamo percorso circa ottocento metri, ed ecco il ruscello».

Laura non vedeva nessun ruscello. Vedeva una riva erbosa, e dietro di essa le chiome di una fila di salici che dondolavano al vento. Tutto intorno l'erba della prateria ondeggiava increspandosi fino alla linea dell'orizzonte.

«Questa sembra una specie di stalla» disse papà, guardando oltre il bordo della tela che copriva il carro. «Ma dov'è la casa?»

Laura trasalì. C'era un uomo, in piedi vicino ai cavalli. Prima non c'era nessuno, e all'improvviso eccolo lì. I suoi capelli erano di un giallo sbiadito, la sua faccia tonda era rossa come quella di un indiano e gli occhi erano così chiari che sembravano lì per sbaglio. Jack ringhiò.

«Sta' fermo, Jack!» disse papà. Poi chiese all'uomo:

«È lei il signor Hanson?»

«Sì» disse l'uomo.

Papà parlò lentamente e ad alta voce: «Ho sentito che vuole andare a Ovest. Vuole scambiare la sua casa?»

L'uomo osservò lentamente il carro. Guardò i cavalli, Pet e Patty, poi rispose: «Sì».

Papà scese dal carro e mamma disse: «Potete scendere a sgranchirvi le gambe, bambine, so che siete stanche di stare ferme».

Quando Laura scese giù per la ruota, Jack si alzò, ma dovette rimanere sotto il carro finché papà non gli disse che poteva andare. Guardò Laura mentre correva lungo un piccolo sentiero.

Il sentiero attraversava l'erba corta, illuminata dal sole fino alle rive del ruscello, che si increspava e scintillava alla luce del sole. I salici crescevano sull'altra riva.

Oltre la sponda del ruscello, il sentiero svoltava e scendeva ripido fino alla riva erbosa, che si ergeva come un muro.

Laura scese con cautela, finché la sponda fu al di sopra di lei e non poté più vedere il carro. In alto non c'era che il cielo immenso, mentre ai suoi piedi l'acqua mormorava. Laura avanzò di un passo, poi ne fece un altro. Il sentiero terminava in uno slargo piatto e scendeva poi al ruscello con una serie di scalini. Da lì Laura vide la porta.

La porta era lì, nel mezzo della sponda erbosa, dove il sentiero svoltava. Era come la porta di una casa, ma qualunque cosa ci fosse dietro era sotto terra. Era chiusa.

Davanti all'uscio stavano due grossi cani dal brutto muso. Quando videro Laura, si alzarono lentamente.

Laura corse via, risalì lungo il ruscello e tornò al carro, dove si sentiva al sicuro. Mary era lì e Laura le disse sottovoce: «C'è una porta sottoterra, e due grossi cani». Si guardò alle spalle. I cani stavano arrivando.

Da sotto il carro si udì il ringhio di Jack, che mostrò i denti ai due cani.

«Sono suoi?» chiese papà al signor Hanson.

Il signor Hanson si voltò e disse delle parole che Laura non riuscì a capire. Ma i cani sì. Uno dietro l'altro tornarono indietro, oltre la sponda del ruscello, sgattaiolando via fino a scomparire alla loro vista.

Papà e il signor Hanson camminarono lentamente fino alla stalla. La stalla era piccola e non era fatta di tronchi. L'erba cresceva sui muri e anche il tetto era coperto di erba che ondeggiava al vento.

Laura e Mary rimasero vicino al carro, insieme a Jack. Guardavano l'erba della prateria che si incurvava ondeggiando e i fiori gialli che dondolavano. Gli uccelli si alzavano in volo e si rituffavano nell'erba. La volta del cielo si stagliava in alto e scendeva fino al limite della terra.

Quando papà e il signor Hanson tornarono, papà disse: «Bene, Hanson. Andremo in città domani per firmare i documenti. Questa notte ci accamperemo qui»

«Sì, va bene!» annuì il signor Hanson.

Papà spedì Mary e Laura di nuovo nel carro e ripartì verso la prateria. Disse a mamma che aveva barattato Pet e Patty con la terra del signor Hanson. Aveva anche scambiato Bunny, il puledro, e il telo che copriva il carro con il suo raccolto e i suoi buoi.

Slegò Pet e Patty e li portò a bere al ruscello. Li legò al piolo e aiutò mamma a preparare l'accampamento per la notte. Laura era silenziosa. Non aveva voglia di giocare e non aveva fame, mentre tutti gli altri sedevano intorno al fuoco per cenare.

«L'ultima notte all'aperto» disse papà. «Domani avremo di nuovo un tetto. La casa è scavata nella sponda del ruscello, Caroline»

«Oh, Charles!» disse mamma «Un rifugio sotterraneo. Non avevamo ancora vissuto sotto terra»

«Credo che lo troverai in ordine» disse papà. «I Norvegesi sono persone pulite. Staremo al caldo per l'inverno. Non manca molto»

«Sì, sarà meglio sistemarsi prima che cominci a nevicare» concordò mamma.

«Solo finché non avrò il primo raccolto» disse papà «poi avrai una vera casa, io avrò dei cavalli e magari anche un calesse. Questa è una terra molto fertile, Caroline! Ricca, piatta, senza un albero o una pietra con cui dover lottare. Non capisco perché Hanson ha seminato così poco. Sarà stata una stagione secca, e lui non è certo un contadino, così esile e magro».

Oltre la luce del fuoco, Pet, Patty e Bunny mangiavano l'erba. La strappavano via tirandola con forza e la masticavano rumorosamente, guardando le stelle attraverso il buio della notte. Facevano oscillare tranquillamente le loro code. Non sapevano di essere stati barattati.

Laura era grande, aveva sette anni. Era troppo grande per piangere. Ma non poté trattenersi dal chiedere: «Pa, dobbiamo proprio dargli Pet e Patty? Siamo obbligati, Pa?»

Abbracciandola, papà l'avvicinò a sé e la strinse affettuosamente.

«Scricciolo, a Pet e Patty piace viaggiare. Sono piccoli pony indiani e arare è troppo faticoso per loro. Saranno molto più felici se andranno verso Ovest. Non vuoi lasciarli soffrire qui, legati a un aratro, vero? Pet e Patty continueranno a viaggiare, e con quei grossi buoi io potrò arare un bel campo e avere il grano pronto per la prossima primavera. Un buon raccolto di grano ci porterà più soldi di quanti ne abbiamo mai avuti, Laura. Allora compreremo cavalli, vestiti nuovi e tutto quello che vorrai».

Laura non disse nulla. Si sentiva meglio tra le braccia di papà, ma non voleva nient'altro che tenere Pet e Patty. E Bunny, il puledro dalle orecchie lunghe.

La casa sotto terra

La mattina presto papà aiutò il signor Hanson a sistemare gli archi e il telo sul suo carro. Poi svuotarono il rifugio, portarono tutto su e caricarono il carro coperto.

Il signor Hanson si offrì di aiutare papà a scaricare il carro e a portare le loro cose in casa, ma mamma disse: «No, Charles, lo faremo quando torni».

Così papà legò Pet e Patty al carro del signor Hanson, fissò Bunny sul retro e partì per la città insieme al signor Hanson.

Laura guardò Pet, Patty e Bunny allontanarsi. Le bruciavano gli occhi e aveva male alla gola. Pet e Patty inarcarono il collo, mentre le criniere e le code ondeggiavano al vento. Avanzavano allegramente, senza sapere che non sarebbero più tornati.

Il ruscello canticchiava giù, tra i salici, e il vento accarezzava l'erba sulla sponda. Il sole splendeva e tutto intorno al carro c'era uno spazio grande e aperto da esplorare.

La prima cosa che fecero fu slegare Jack dalla ruota del carro. I cani del signor Hanson se n'erano andati e ora Jack poteva correre liberamente. Era così felice che saltò addosso a Laura per leccarle la faccia, facendola cadere. Poi si precipitò giù per il sentiero e Laura gli corse dietro.

Mamma prese Carrie: «Vieni, Mary. Andiamo a vedere la casa».

Jack arrivò per primo davanti alla porta. Era aperta. Guardò dentro, poi rimase ad aspettare Laura.

Tutto intorno alla porta spuntavano dall'erba tralicci di vite pieni di fiori. Fiori rossi, blu, viola e a strisce rosa e bianche, tutti con le bocche spalancate come se stessero cantando nella gloria del mattino. Erano ipomee[1].

Laura passò tra i fiori canterini ed entrò nella casa. C'era una stanza tutta bianca. I muri di terra erano stati lisciati e imbiancati. Il pavimento, anch'esso di terra, era liscio e duro.

Quando mamma e Mary arrivarono davanti alla porta, la luce si affievolì. C'era una finestrella coperta di carta cerata vicino alla porta. Ma il muro era così spesso che la luce che entrava da lì rimaneva solo vicino alla finestra.

Il muro della facciata era fatto di zolle di terra ricoperte d'erba. Il signor Hanson aveva scavato la sua casa, poi aveva staccato delle zolle dalla prateria e le aveva sistemate una sull'altra per fare la facciata. Era un muro solido e spesso, che nessuno avrebbe potuto rompere. Il freddo non l'avrebbe attraversato.

Mamma era contenta. Disse: «È piccola, ma è pulita e gradevole» poi guardò il soffitto e aggiunse: «Guardate, bambine!»

Il soffitto era fatto di paglia. Rami di salice erano stati intrecciati e fissati sulla sommità, ma in alcuni punti si poteva vedere la paglia sopra di essi.

«Bene!» disse mamma.

Tornarono tutti su e rimasero in piedi sul tetto della casa. Nessuno avrebbe indovinato che si trattava di un tetto. L'erba che ci cresceva sopra ondeggiava al vento proprio come l'altra erba sulle sponde del ruscello.

«Accidenti» disse mamma «chiunque potrebbe passare sopra questa casa senza nemmeno accorgersi che esiste».

---

1 L'ipomea è detta anche "gloria del mattino" [n.d.t.].

Ma Laura aveva notato qualcosa. Si chinò e spostò l'erba con le mani, poi esclamò: «Ho trovato la canna fumaria! Guarda, Mary, guarda!»

Mamma e Mary si fermarono a guardare, mentre Carrie si sporgeva dalle braccia di mamma. Anche Jack andò a vedere. Potevano guardare dentro la stanza imbiancata che si trovava sotto l'erba.

Restarono a guardare finché mamma disse: «Puliamo un po', prima che torni papà. Mary e Laura, prendete dei secchi d'acqua».

Mary prese il secchio grande e Laura quello piccolo, e scesero di nuovo giù per il sentiero. Jack corse avanti e si mise al suo posto davanti alla porta.

Mamma trovò una scopa di salice in un angolo e spazzò con cura le pareti. Mary sorvegliava Carrie perché non cadesse nel ruscello, mentre Laura prendeva l'acqua con il secchio piccolo.

Laura saltellò giù per le scale fino all'estremità del ponticello che attraversava il ruscello. Era una passerella, una larga tavola di legno. L'altra estremità finiva ai piedi di un salice.

I salici più alti avevano foglie esili che si stagliavano contro il cielo e tanti piccoli salici ammucchiati ai loro piedi. Facevano ombra sul terreno, che era freddo e spoglio. Il sentiero solcava il terreno fino a una piccola sorgente, dalla quale l'acqua fresca e limpida si riversava in una piccola pozza, per poi scorrere nel ruscello.

Laura riempì il piccolo secchio e tornò indietro, lungo la passerella assolata e su per le scale. Fece avanti e in dietro, prendendo l'acqua con il secchio piccolo e versandolo in quello grande, sistemato su una panca davanti all'ingresso.

Poi aiutò mamma a prendere dal carro tutto ciò che riuscirono a trasportare. Avevano scaricato quasi tutto, quando papà arrivò sferragliando lungo il sentiero. Trasportava un piccolo fornello di latta e due tubi di metallo.

«Ah!» disse appoggiandoli a terra «Sono contento di averli dovuti trasportare solo per quattro chilometri. Pensa, Caroline, la città è a soli quattro chilometri! Una bella passeggiata. Bene, Hanson è in viaggio verso Ovest e la casa è nostra. Cosa ne pensi, Caroline?»

«Mi piace» disse mamma «ma non so come fare con i letti. Non voglio appoggiarli sul pavimento»

«Qual è il problema?» chiese papà «Abbiamo già dormito sul pavimento»

«È diverso» disse mamma «non mi piace dormire sul pavimento in una casa»

«Beh, la soluzione è presto pronta» disse papà «taglierò dei rami di salice e ci appoggeremo sopra i letti, per questa notte. Domani troverò dei tronchi e costruirò un paio di letti».

Prese l'ascia e si avviò fischiettando su per il sentiero, poi sopra la casa e giù per il pendio alle sue spalle, fino al ruscello. Lì c'era un piccolo avvallamento nel quale i salici crescevano fitti lungo la riva, vicino all'acqua.

Laura gli corse dietro: «Lascia che ti aiuti, Pa!» ansimò «Posso trasportarne qualcuno»

«Certo che puoi» disse papà, guardandola con gli occhi che brillavano «non c'è niente di meglio di un po' di aiuto quando un uomo ha molto lavoro da fare».

Papà diceva spesso che non avrebbe saputo come fare senza Laura. Lei l'aveva aiutato a costruire la porta della casa di tronchi nella terra degli Indiani. Ora lo aiutava a trasportare i rami di salice e a sistemarli nel rifugio. Poi andò con lui alla stalla.

Tutti e quattro i muri della stalla erano fatti di zolle di terra. Il tetto era di rami di salice e paglia, ricoperto di zolle. Era così basso che papà, stando in piedi, lo toccava con la testa. C'era una man-

13

giatoia di legno di salice, e c'erano due buoi legati. Uno era enorme e grigio, con piccole corna e occhi gentili. L'altro era più piccolo, con corna più lunghe e imponenti, e occhi minacciosi. Era di un marrone chiaro-rossiccio.

«Ciao, Bright!» gli disse papà.

«E come stai, Pete, vecchio mio?» chiese al grosso bue, dandogli uno schiaffetto.

«Spostati, Laura» le disse «vediamo come si comportano. Dobbiamo portarli a bere».

Gli mise una corda intorno alle corna e li portò fuori dalla stalla. Gli animali lo seguirono, camminando lentamente lungo il pendio, fino a un sentiero piano che, attraverso i giunchi, conduceva alla riva del ruscello. Laura li seguiva da vicino, osservando le loro grosse zampe goffe e i nasi viscidi.

Laura rimase fuori dalla stalla mentre papà legava i buoi alla mangiatoia, poi si avviò con lui verso la casa.

«Pa» chiese con voce lieve «davvero Pet e Patty volevano andare a Ovest?»

«Sì, Laura» rispose papà.

«Oh, Pa» continuò lei con voce tremante «non mi piacciono tanto i buoi».

Papà prese la piccola mano di Laura nella sua e disse: «Dobbiamo fare del nostro meglio e non lamentarci. Quando una cosa deve essere fatta, è meglio farla con il sorriso. Un giorno avremo di nuovo dei cavalli»

«Quando, Pa?» chiese lei.

«Quando avremo il nostro primo raccolto di grano».

Entrarono in casa. Mamma era allegra, Mary e Carrie erano già lavate e pettinate e tutto era in ordine. I letti erano fatti sui rami di salice e la cena era pronta.

Dopo mangiato, sedettero tutti insieme sul sentiero davanti alla porta. Papà e mamma presero posto su due casse. Carrie era accoccolata tra le braccia di mamma e Mary e Laura si misero per terra, con le gambe a penzoloni lungo il bordo del sentiero. Jack girò tre volte su se stesso, poi appoggiò la testa sul ginocchio di Laura.

Sedevano tutti in silenzio guardando, attraverso i salici e il Plum Creek², il sole che tramontava a Ovest, lontano, nella prateria.

Alla fine mamma emise un lungo sospiro: «È tutto così calmo e tranquillo» disse. «Non ci saranno ululati di lupi né grida di Indiani stanotte. Non mi sentivo così serena e riposata da non so quanto tempo».

Papà rispose, con voce calma: «È vero, siamo al sicuro. Qui non può accaderci nulla».

I colori del tramonto scesero lungo il bordo del cielo. I salici frusciavano e l'acqua mormorava nel crepuscolo. La terra era grigio scuro. Il cielo era grigio chiaro puntellato di stelle.

«È ora di andare a dormire» disse mamma. «E c'è una novità: non abbiamo mai dormito in una casa scavata nella terra prima d'ora». Rideva, e papà rise dolcemente con lei.

Laura si sdraiò nel letto, ascoltava l'acqua che mormorava e i salici che sussurravano. Avrebbe preferito dormire fuori, anche se avesse dovuto sentire l'ululato dei lupi, piuttosto che stare al sicuro in quella casa scavata nella terra.

---

2 Plum Creek è il nome del ruscello [n.d.t.].

Giunchi e iris

Ogni giorno, dopo aver lavato i piatti, fatto il letto e spazzato il pavimento, Mary e Laura potevano uscire a giocare.

Tutto intorno alla porta le ipomee appena sbocciate si affacciavano tra le foglie verdi. Lungo il Plum Creek gli uccelli chiacchieravano. A volte un uccello cantava, ma di solito parlavano: «*Cip, cip, oh, ci-cip, cip!*» diceva uno. Poi un altro: «*Ci, ci, ci*» e un altro rideva: «*Ha ha ha!*»

Laura e Mary salirono sul tetto della casa, poi imboccarono il sentiero lungo il quale papà scendeva per portare i buoi a bere.

Laggiù, lungo il ruscello, crescevano giunchi e iris blu. Ogni giorno c'erano nuovi iris. Si ergevano ritti, nel loro abito blu scuro, in mezzo ai giunchi verdi.

Ciascun fiore aveva tre petali vellutati che si incurvavano verso il basso, come il vestito con il cerchio di una gran dama. Dalla vita partivano tre lembi di seta arricciata che prima si alzavano e poi, insieme, facevano una curva all'ingiù. Quando Laura guardava al loro interno, vedeva tre larghe lingue di colore chiaro, ricoperte da una striscia di peluria dorata. A volte un grosso bombo di velluto nero e oro ronzava e vi si appoggiava sopra.

La riva del ruscello era fatta di fango morbido e caldo. Piccole farfalle gialle e azzurre svolazzavano, si posavano e venivano a bere da quelle parti. Libellule lucenti sbattevano le loro ali vibranti. Il fango si infilava tra le dita dei piedi di Laura. Dove erano passati lei, Mary, e i buoi, si formavano piccole pozzanghere nelle loro impronte.

Quando camminavano nell'acqua, le orme non rimanevano impresse. Prima ne usciva un turbine che sembrava di fumo e che scompariva nell'acqua limpida. Poi le impronte si scioglievano lentamente. Le tracce delle dita sbiadivano e del tallone non restava che un buchino.

C'erano dei pesciolini nell'acqua. Erano così piccoli che li si poteva scorgere appena. Solo quando passavano velocemente, a volte, si vedeva brillare la loro pelle argentata. Quando Laura e Mary stavano ferme, i piccoli pesci si radunavano intorno ai loro piedi e li mordicchiavano, facendo il solletico.

Sulla superficie scivolavano insetti acquatici. Avevano lunghe zampe che scalfivano l'acqua. Era difficile vederli: scivolavano così in fretta che non facevi in tempo ad accorgertene ed erano già schizzati via.

I giunchi, scossi dal vento, producevano un rumore forte e malinconico. Non erano soffici e piatti come l'erba, ma duri, tondi, lucidi e divisi in più parti. Un giorno, mentre Laura camminava nell'acqua profonda vicino ai giunchi, si aggrappò a uno di essi per risalire sulla riva. Il giunco scricchiolò. Per un attimo Laura riuscì appena a respirare, poi ne afferrò un altro, che scricchiolò e si spezzò in due.

I giunchi erano piccoli tubi vuoti, tenuti insieme dalle giunture. I tubicini scricchiolavano quando li si separava, e scricchiolavano quando li si rimetteva insieme.

Laura e Mary li dividevano per sentire quel rumore. Poi raccoglievano quelli piccoli e li utilizzavano per fare collane. Unendo quelli grandi costruivano lunghi bastoni. Soffiavano nel ruscello attraverso i tubi e facevano le bolle. Soffiavano sui pesciolini per spaventarli. Quando avevano sete, potevano bere succhiando l'acqua attraverso i tubi.

Mamma rideva quando Laura e Mary arrivavano all'ora di pranzo o di cena tutte bagnate e ricoperte di fango, con le loro collane verdi intorno al collo e le lunghe cannucce tra le mani. Le portavano mazzi di iris blu che lei utilizzava per decorare la tavola.

«Vi avverto» diceva «voi due giocate così tanto al ruscello che finirete per trasformarvi in insetti acquatici!»

A papà e mamma non importava quanto giocassero al ruscello. Bastava che non superassero il piccolo avvallamento nel quale c'erano i salici. In quel punto il ruscello formava una curva e lì c'era una pozza d'acqua buia e profonda. Non dovevano avvicinarsi a quella pozza. Non dovevano nemmeno guardarla.

«Un giorno vi ci porterò» aveva promesso papà. E una domenica pomeriggio disse che quel giorno era arrivato.

Acque profonde

A casa, Laura e Mary si tolsero i vestiti e, sulla pelle nuda, indossarono vecchi abiti rattoppati. Mamma si legò la cuffia, papà prese in braccio Carrie e furono tutti pronti.

Superarono il sentiero dei buoi e oltrepassarono i giunchi, attraversarono la valle dei salici e i boschetti di susini. Scesero lungo una ripida sponda erbosa, poi attraversarono un tratto piano, nel quale l'erba era alta e fitta. Passarono un alto muro di terra, quasi completamente diritto, sul quale l'erba non cresceva.

«Cos'è quello, Pa?» chiese Laura. Papà rispose: «È un monticello».

Papà avanzava tra l'erba alta e spessa, aprendo un passaggio per mamma, Mary e Laura. All'improvviso uscirono dall'erba alta, ed ecco il ruscello.

Scorreva scintillante sopra la ghiaia bianca formando un'ampia pozza, incurvandosi contro una riva bassa sulla quale l'erba era corta. Cerano salici alti sull'altra riva. Sulla superficie dell'acqua si stendeva un'immagine a specchio di quei salici, con le foglie verdi che fluttuavano al vento.

Mamma sedette sulla riva erbosa tenendo Carrie con sé, mentre Laura e Mary entrarono nella pozza.

«Restate vicino alla riva, bambine!» disse mamma «Non andate dove l'acqua è profonda».

L'acqua si infilò sotto le loro gonne, gonfiandole. Poi la stoffa bagnata si appiccicò alle loro gambe. Laura avanzò nell'acqua sempre più profonda. L'acqua continuava a salire, e le arrivò fin quasi alla vita. Si chinò, e l'acqua le arrivò al mento.

Tutto era bagnato, freddo e instabile. Laura si sentì leggera. I suoi piedi erano così leggeri che quasi non toccavano il fondo. Saltò e spruzzò l'acqua sbattendo le braccia.

«Oh, Laura, non farlo!» gridò Mary.

«Non andare oltre, Laura» disse mamma. Laura continuò a spruzzare. Un grosso schizzo le sollevò i piedi. I piedi salirono, le braccia fecero di testa loro e la sua testa finì sott'acqua. Laura si spaventò. Non c'era nulla a cui aggrapparsi, niente di solido nei paraggi. Poi si ritrovò in piedi, con l'acqua che colava da tutte le parti. Ma i suoi piedi erano a terra.

Nessuno se n'era accorto. Mary si stava tirando su la gonna, e mamma giocava con Carrie. Papà era tra i salici, fuori dalla sua vista. Laura camminò più veloce che poté, nell'acqua. L'acqua le salì fin sopra la vita, fino alle braccia.

All'improvviso, sotto l'acqua, qualcosa le afferrò il piede, strattonandola e facendola cadere. Non vedeva nulla e non poteva respirare. Cercò un appiglio ma non trovò nulla a cui aggrapparsi. Le sue orecchie erano piene d'acqua, e così anche gli occhi e la bocca.

Poi la sua testa uscì dall'acqua, vicino a quella di papà. Lui la stava tenendo.

«Bene, signorina» disse papà «ti sei allontanata troppo. Ti è piaciuto?»

Laura non riusciva a parlare. Doveva riprendere fiato.

«Hai sentito mamma, ti ha detto di restare vicina alla riva» disse papà «perché non le hai obbedito? Meritavi un bel tuffo, e te l'ho fatto fare. La prossima volta ascolterai»

«S... sì, Pa!» farfugliò Laura. «Oh, Pa, per favore, fallo ancora!»
Papà disse «Beh... va bene!» e la sua grossa risata riecheggiò tra
i salici.

«Perché non hai urlato quando ti ho tirata giù? Non ti sei spaventata?»

«Ero... ero terrorizzata!» ansimò Laura «Ma per favore, fallo di
nuovo!» Poi gli chiese: «Come hai fatto ad andare là sotto, Pa?»

Papà disse che aveva nuotato sott'acqua, dal punto in cui si trovavano i salici. Ma non potevano restare dove l'acqua era profonda;
dovevano tornare a riva, a giocare con Mary.

Per tutto il pomeriggio papà, Laura e Mary giocarono nell'acqua.
Attraversavano il ruscello, facevano battaglie d'acqua, e quando Lau-
ra o Mary andavano dove l'acqua era profonda, papà le tirava giù.
Mary fece la brava dopo un solo tuffo; Laura invece ne fece tanti.

Ma era ora di occuparsi degli animali; bisognava rientrare a casa.
Camminarono gocciolanti lungo il sentiero e quando arrivarono al
monticello, Laura volle scalarlo.

Papà salì per un tratto e aiutò Laura e Mary ad arrampicarsi a
loro volta. La terra secca slittava e scivolava. Grovigli di radici pendevano dal bordo che sporgeva sopra le loro teste. Poi papà sollevò
Laura e la fece salire sul monticello.

Era proprio come un tavolo. Quella terra si stagliava al di sopra
dell'erba alta ed era tonda e piatta. L'erba lì era corta e soffice.

Papà, Laura e Mary rimasero in piedi lassù guardando l'erba, la
pozza e, al di là, la prateria che si stendeva fino all'orizzonte.

Poi dovettero scivolare di nuovo giù e tornare a casa. Era stato
un pomeriggio meraviglioso.

«Ci siamo divertiti un sacco» disse papà «ma non dimenticate
quel che vi ho detto, bambine: non avvicinatevi mai a quella pozza
senza di me».

Uno strano animale

Laura se ne ricordò per tutto giorno seguente. Ricordò l'acqua fredda e profonda all'ombra degli alti salici. Ricordò che non doveva avvicinarsi troppo.

Papà era via. Mary era in casa con mamma. Laura giocava da sola fuori, al sole. Gli iris blu stavano appassendo tra le canne spoglie. Attraversò la valle dei salici e giocò nell'erba della prateria tra le margherite gialle e bianche. Il sole era caldo e il vento scottava.

Così Laura pensò al monticello, e volle salirci nuovamente. Si chiedeva se sarebbe riuscita a farlo da sola. Papà non le aveva proibito di andarci.

Corse giù lungo le sponde ripide e attraversò il tratto pianeggiante attraverso l'erba alta e ruvida. Il monticello le si stagliava davanti, alto e diritto. Era difficile da scalare. La terra secca le scivolava sotto i piedi e il suo vestito si era sporcato all'altezza delle ginocchia mentre lei si aggrappava all'erba tentando di tirarsi su. La polvere era fastidiosa sulla sua pelle sudata. Ma alla fine riuscì a sporgersi sul bordo, si sollevò, si rotolò e fu in cima al monticello.

Balzò in piedi e poté vedere la pozza buia e profonda sotto i salici. L'acqua era fresca laggiù, e lei era tutta sudata. Ma ricordò che non doveva andarci.

Il monticello era grande e vuoto, non molto interessante. Era stato divertente insieme a papà, ma ora in cima c'era solo terra piatta e Laura pensò che sarebbe tornata a casa per bere. Aveva molta sete.

Scivolò giù lungo il bordo del monticello e tornò lentamente sui suoi passi. Tra l'erba alta l'aria calda era soffocante. La casa era lontana e Laura era veramente assetata.

Si sforzò di tenere a mente che non doveva avvicinarsi alla pozza profonda ma poi, all'improvviso, si voltò e si affrettò proprio in quella direzione. Pensò che l'avrebbe solo guardata. Il semplice fatto di guardarla l'avrebbe fatta sentire meglio. Poi pensò che avrebbe potuto camminare sulla riva, senza andare dove l'acqua era profonda.

Imboccò il sentiero che aveva fatto papà, accelerando il passo.

Nel bel mezzo del sentiero c'era un animale.

Laura balzò indietro e rimase a guardarlo. Non aveva mai visto un animale del genere. Era lungo quasi quanto Jack, ma le sue zampe erano molto corte, ed era coperto da una lunga pelliccia. Aveva le orecchie piccole e la testa piatta. La inclinò lentamente e si mise a fissare Laura.

Lei fissò a sua volta quel muso buffo e mentre stavano entrambi fermi a fissarsi l'un l'altro, l'animale si allargò, si appiattì e si distese a terra. Si appiattì sempre di più, finché non sembrò nient'altro che una pelliccia grigia buttata a terra. Non assomigliava nemmeno più a un animale, tranne che per gli occhi, che continuavano a guardare in su.

Lentamente e con molta attenzione, Laura si chinò e prese un ramoscello di salice. Allora si sentì meglio. Si sporse in avanti guardando quella pelliccia grigia e piatta. Non si muoveva, e nemmeno lei si mosse. Si chiedeva cosa sarebbe successo se l'avesse toccata. Forse avrebbe assunto una forma diversa. La sfiorò appena con il ramoscello.

Ne uscì un ringhio spaventoso. I suoi occhi brillarono di rabbia e i denti bianchi e minacciosi tentarono di afferrarle il naso.

Laura corse a più non posso. Fuggì veloce, senza fermarsi finché non fu a casa.

«Santo cielo, Laura» disse mamma «finirai per ammalarti se corri così con questo caldo».

Per tutto il tempo Mary era rimasta seduta come una vera signorina, sillabando le parole del libro che mamma le stava insegnando a leggere. Mary era una brava bambina.

Laura si era comportata male e lo sapeva. Aveva infranto la promessa fatta a papà. Ma nessuno l'aveva vista. Nessuno sapeva che aveva intenzione di andare alla pozza. Se non l'avesse detto, nessuno l'avrebbe mai saputo. Solo quello strano animale lo sapeva, e non poteva tradirla. Ma, dentro di sé, Laura si sentiva sempre peggio.

Quella notte rimase sdraiata accanto a Mary senza riuscire a dormire. Papà e mamma sedevano fuori, sotto le stelle, e papà suonava il violino.

«Dormi, Laura» disse mamma dolcemente, mentre il violino suonava per lei. Papà era un'ombra contro il cielo e il suo archetto danzava tra le stelle. Tutto era bello, tutto era buono. Tutto tranne Laura. Non aveva mantenuto la sua promessa, e questo equivaleva a mentire. Laura avrebbe voluto che non fosse mai successo. Ma l'aveva fatto, e se papà l'avesse saputo l'avrebbe punita.

Papà continuò a suonare dolcemente sotto le stelle. Il suo violino cantava per lei, dolce e allegro. Pensava che fosse una brava bambina. A un certo punto Laura non poté più resistere.

Scivolò fuori dal letto e attraversò, scalza, il freddo pavimento di terra battuta. In camicia da notte e con la cuffia in testa, rimase in piedi accanto a papà. Lui suonò le ultime note con l'archetto, sorridendole dolcemente.

«Cosa c'è, scricciolo?» le chiese «Sembri un fantasmino, tutto bianco in mezzo al buio»

«Pa» disse Laura con voce tremante «sono... sono quasi andata alla pozza»

«Davvero?» esclamò papà «Cosa ti ha fermata?»

«Non lo so» sussurrò lei «aveva il pelo grigio e... si appiattiva a terra. E ringhiava»

«Quanto era grande?» chiese papà.

Laura gli raccontò tutto di quello strano animale. Papà disse: «Dev'essere stato un tasso».

Poi ci fu un lungo silenzio. Laura rimase in attesa. Al buio, non riusciva a vedere il volto di papà, ma era appoggiata contro il suo ginocchio, ne sentiva la forza e, insieme, la gentilezza.

«Bene» disse alla fine «non so cosa fare, Laura. Vedi, mi fidavo di te. È difficile capire come comportarsi con le persone di cui non ci si può fidare. Lo sai cosa bisogna fare con queste persone?»

«C... cosa?» balbettò Laura.

«Bisogna sorvegliarle» disse papà «quindi suppongo che tu debba essere sorvegliata. Dovrà farlo mamma, perché io lavoro dal signor Nelson. Domani rimarrai qui, in modo che mamma possa tenerti d'occhio. Non ti allontanerai per tutto il giorno. Se ti comporterai bene domani, allora proveremo di nuovo a trattarti come una bambina di cui ci si può fidare. Che te ne pare, Caroline?» chiese a mamma.

«Molto bene, Charles» disse mamma. «La terrò d'occhio, domani. Ma sono sicura che farà la brava. Ora torna a letto, Laura, e dormi».

Il giorno seguente fu terribile.

Mamma cuciva, e Laura dovette rimanere in casa. Non poteva nemmeno andare a prendere l'acqua alla sorgente, perché mamma l'avrebbe persa di vista. Mary andò a prendere l'acqua e portò Carrie a fare una passeggiata nella prateria. Laura dovette rimanere in casa.

Jack stava sdraiato, il muso sulle zampe, e si agitava. Imboccava il sentiero e la guardava sorridendo per pregarla di uscire. Non capiva perché lei non potesse farlo.

Laura aiutò mamma. Lavò le scodelle, rifece i letti, spazzò il pavimento e apparecchiò la tavola. A pranzo sedette curva sulla panca e mangiò ciò che le aveva dato mamma. Poi asciugò i piatti, dopodiché strappò un lenzuolo che era consumato al centro. Mamma rovesciò le strisce di mussola e le spillò insieme, poi Laura le cucì e le bordò con piccoli punti. Pensò che quella cucitura e quella giornata non sarebbero mai finite.

Ma alla fine mamma mise via il cucito: era ora di preparare la cena.

«Sei stata brava, Laura» disse mamma. «Lo diremo a papà. E domani mattina io e te andremo a cercare quel tasso. Sono sicura che ti ha salvato la vita, perché se fossi andata alla pozza ci saresti senz'altro entrata. Quando cominci a infrangere una regola, è facile perdere il controllo e prima o poi succede qualcosa di terribile»

«Sì, mamma» disse Laura. Ora lo sapeva.

La giornata era terminata. Laura non aveva visto l'alba, né l'ombra delle nuvole sulla prateria. Le ipomee erano appassite, e quel giorno anche gli iris blu erano morti. Per tutto il giorno Laura non aveva visto l'acqua del ruscello, né i pesciolini e gli insetti che ci scivolavano sopra. Ormai ne era certa: essere brava non poteva essere peggio che essere sorvegliata.

Il giorno dopo andò con mamma a cercare il tasso. Lungo il sentiero, le mostrò il punto in cui l'animale si era appiattito sull'erba. Mamma trovò la sua tana. Era un buco tondo sotto un mucchio d'erba. Laura lo chiamò e infilò un ramoscello nella tana.

Se fosse stato in casa, non ne sarebbe certo uscito. Laura non rivide mai più quel vecchio tasso grigio.

La corona di rose

Fuori, nella prateria, oltre la stalla, c'era una grande roccia grigia. Si stagliava sopra l'erba ondeggiante e i fiori di campo dondolanti. La sua cima era piatta e quasi liscia, così larga che Laura e Mary potevano correrci sopra, una accanto all'altra, e così lunga che potevano rincorrersi. Era un posto meraviglioso per giocare.

Licheni grigio-verdi con i bordi arricciati crescevano sopra la roccia. Formiche erranti la attraversavano. Spesso una farfalla si fermava lì per riposare. Allora Laura guardava le ali vellutate aprirsi e chiudersi lentamente, come se la farfalla respirasse attraverso di esse. Vedeva i piedini sulla roccia, le antenne tremolanti e persino i piccoli occhi, tondi e senza palpebre.

Non aveva mai tentato di catturare una farfalla. Sapeva che le loro ali erano coperte da minuscole piume, così piccole da risultare invisibili. Un tocco le avrebbe spazzate via, ferendo la farfalla.

Il sole era sempre caldo sulla grande roccia grigia. La luce illuminava sempre la prateria ondeggiante, gli uccelli e le farfalle. C'era un venticello tiepido e profumato di erba scaldata dal sole. In lontananza, verso il punto in cui il sole scendeva sulla terra, piccole sagome nere si muovevano nella prateria. Erano gli animali al pascolo.

Laura e Mary non andavano mai a giocare sulla roccia al mattino, e non ci restavano quando il sole scendeva, perché la mattina e la sera passavano gli animali.

Passavano in gruppo, scalpitando con gli zoccoli e agitando le corna. Johnny Johnson, il ragazzo che si occupava della mandria, camminava dietro di loro. Aveva una faccia tonda e rossa, occhi azzurri e capelli biondi, quasi bianchi. Sorrideva e non parlava mai. Non poteva, perché non conosceva la loro lingua.

Un pomeriggio papà chiamò Laura e Mary dal ruscello. Stava andando alla roccia grigia per incontrare Johnny Johnson che riportava indietro la mandria, e loro sarebbero potute andare con lui.

Laura saltò di gioia. Non si era mai avvicinata a una mandria e non avrebbe avuto paura insieme a papà. Mary avanzava lentamente, accanto a papà.

La mandria si avvicinava. I muggiti erano sempre più forti, le corna ondeggiavano al di sopra del gruppo e una nuvola di polvere dorata l'avvolgeva.

«Arrivano!» disse papà «Arrampicatevi!» e spinse Mary e Laura sulla grossa roccia. Poi rimasero lì a guardare gli animali.

Le mucche dal pelo rosso, marrone, nero, bianco o a chiazze avanzavano ondeggiando. Roteavano gli occhi e si leccavano i musi piatti. Agitavano la testa puntando minacciosamente le corna. Ma Laura e Mary erano al sicuro sulla grande roccia grigia alla quale era appoggiato papà.

L'ultimo animale della mandria stava passando, quando Laura e Mary notarono la mucca più bella che avessero mai visto.

Era una mucca piccola e bianca. Aveva le orecchie rosse e una macchia rossa sulla fronte. Le sue piccole corna bianche si curvavano all'interno, come a voler indicare quella macchia.

E sulla parte bianca, proprio al centro, c'era un cerchio perfetto di macchie rosse che sembravano rose. Persino Mary saltellava.

«Oh, guarda, guarda!» urlò Laura «Pa, guarda la mucca con la corona di rose!»

Papà rise. Stava aiutando Johnny Johnson ad allontanare quella mucca dalle altre.

Le chiamò: «Venite, bambine! Aiutatemi a portarla nella stalla!»

Laura saltò giù dalla roccia e corse ad aiutarlo, gridando: «Perché, perché? Oh, Pa, la teniamo?»

La piccola mucca bianca entrò nella stalla e papà rispose: «È la nostra mucca!»

Laura si voltò e corse più veloce che poté. Scese lungo il sentiero ed entrò in casa di corsa, urlando: «Oh, Ma, Ma! Vieni a vedere la mucca! Abbiamo una mucca! La più bella di tutte!»

Mamma prese in braccio Carrie e andò a vedere.

«Charles!» disse.

«È nostra, Caroline» disse papà. «Cosa ne pensi?»

«Ma... Charles!» disse mamma.

«Me l'ha data Nelson» le spiegò papà. «La pago in giornate di lavoro. Nelson ha bisogno di aiuto per fare il fieno e per il raccolto. Guardala, è una piccola mucca da latte. Caroline, avremo latte e burro»

«Oh, Charles!» commentò mamma.

Laura non aspettò oltre, si voltò e ricominciò a correre, più veloce che poteva, lungo il sentiero e poi giù, fino a casa. Prese la sua tazza di latta dalla tavola e tornò di corsa.

Papà aveva messo la bella mucca bianca nel suo piccolo box, vicino a Pete e Bright. Lei se ne stava lì tranquilla, continuando a masticare. Laura le si chinò accanto e, tenendo la tazza con una mano, afferrò la mammella della mucca con l'altra e strinse come aveva visto fare a papà quando mungeva. Un rivolo di latte caldo e bianco cadde dritto nella tazza.

«Santo cielo! Cosa combina questa bambina!» esclamò mamma.

«Sto mungendo!» disse Laura.

«Non da quella parte» le spiegò subito mamma «ti darà un calcio». Ma la brava mucca non fece che voltarsi a guardare Laura con i suoi occhioni dolci. Sembrava sorpresa, ma non scalciò.

«Le mucche vanno sempre munte dal lato destro, Laura» disse mamma. Poi papà aggiunse: «Guardate lo scricciolo! Chi ti ha insegnato a mungere?»

Nessuno le aveva insegnato. Sapeva come mungere una mucca perché aveva visto papà farlo. Ora tutti guardavano lei. Il latte continuava a scendere nella tazza, formando una schiuma che presto arrivò fin quasi al bordo.

Allora ciascuno bevve un sorso di quel latte caldo e delizioso e lasciarono che Carrie lo finisse. Si sentivano felici e rimasero lì a guardare quella bella mucca.

«Come si chiama?» chiese mamma.

Papà scoppiò a ridere e disse: «Il suo nome è Crona»

«Crona?» ripeté mamma «Che razza di nome è?»

«I Nelson devono averle dato un nome norvegese» disse papà «quando ho chiesto cosa significasse, la signora Nelson ha detto che era una crona»

«E che cosa diamine è una crona?» gli chiese mamma.

«È proprio quello che ho chiesto alla signora Nelson» disse papà «continuava a dire "una crona", e probabilmente le sembravo stupido, perché alla fine ha detto: "una crona di rose"»

«Una *corona*!» urlò Laura «Una corona di rose!»

Allora risero tutti fino a non poterne più e papà disse: «Questa le batte tutte. Nel Wisconsin vivevamo tra Svedesi e Tedeschi, poi abbiamo vissuto in mezzo agli Indiani e ora, nel Minnesota, tutti i vicini sono Norvegesi. Sono anche bravi vicini, ma mi sembra che non ci sia molta gente come noi»

«Beh» concluse mamma «in ogni caso, non chiameremo certo questa mucca Crona, e nemmeno Corona di rose. La chiameremo Spot».

Il bue sul tetto

Ora Laura e Mary avevano del lavoro da fare. Ogni mattina, prima che il sole sorgesse, dovevano portare Spot alla grande roccia grigia per raggiungere la mandria, così Johnny avrebbe potuto portarla a pascolare con gli altri animali per tutto il giorno. E ogni sera dovevano ricordarsi di andare incontro alla mandria e rimettere la mucca nella stalla.

Al mattino correvano tra l'erba fredda, con la rugiada che bagnava i loro piedi e gli orli dei vestiti. Amavano sguazzare a piedi nudi nell'erba zuppa di rugiada. Amavano guardare il sole sorgere al di là dei confini del mondo.

All'inizio tutto era grigio e immobile. Il cielo era grigio, l'erba era grigia di rugiada, la luce era grigia e il vento non soffiava.

Poi sottili strisce di verde spuntavano nel cielo, a Est. Se c'era una piccola nuvola, diventava rosa. Laura e Mary sedevano sulla roccia fredda e umida, stringendosi le gambe infreddolite. Si appoggiavano il mento sulle ginocchia e guardavano. Sull'erba sotto di loro anche Jack sedeva e stava a guardare. Ma non riuscivano mai a vedere quando il cielo cominciava a diventare rosa.

All'inizio era molto pallido, poi sempre più rosa. Il colore saliva sempre più in alto, nel cielo. Diventava più intenso e luminoso. Divampava come il fuoco, e un attimo dopo la nuvoletta brillava di una luce dorata. In mezzo a quei colori sfolgoranti, sul bordo piatto della terra, spuntava il bagliore argenteo del sole. Era una piccola striscia di fuoco bianco. All'improvviso il sole tutto intero balzava fuori, tondo, enorme, molto più grande del sole che si vede di giorno, e splendente di una luce tanto intensa che sembrava sul punto di esplodere.

Laura non poteva evitare di strizzare gli occhi. Il tempo di una strizzatina, e il cielo era diventato blu. La nuvola d'oro era scomparsa. Il solito sole splendeva sull'erba della prateria, dove migliaia di uccelli volavano e cinguettavano.

La sera, quando gli animali tornavano a casa, Laura e Mary correvano veloci per salire sulla grande roccia prima che tutte quelle teste, quelle corna e quelle zampe scalpitanti arrivassero.

Papà lavorava per il signor Nelson ora, e Pete e Bright non avevano niente da fare. Così andavano con Spot e gli altri buoi a pascolare. Laura non aveva mai avuto paura della placida, bianca Spot. Ma Pete e Bright erano così grandi che avrebbero spaventato chiunque.

Una sera tutti i buoi erano arrabbiati. Arrivarono muggendo e scalpitando e, giunti alla grande roccia, non la oltrepassarono ma ci corsero intorno, azzuffandosi in un gran tafferuglio. I loro occhi roteavano, le corna si agitavano e si scontravano tra loro. Gli zoccoli sollevavano un gran polverone e le corna che si scontravano erano spaventose.

Mary aveva così paura che non riusciva a muoversi. Laura era talmente spaventata che saltò giù dalla roccia. Sapeva di dover portare Spot, Pete e Bright nella stalla.

Le bestie spuntavano dalla nuvola di polvere. Le zampe scalpitavano, le corna sbattevano nel muggito generale. Ma Johnny l'aiutò a portare Pete, Bright e Spot verso la stalla. Anche Jack diede una mano. Abbaiava ai loro piedi mentre Laura correva urlando dietro di loro. Con il suo grosso bastone, Johnny allontanava il resto della mandria.

Spot entrò nella stalla. Poi anche Bright entrò. Pete stava entrando e Laura non aveva paura quando, all'improvviso, il grosso bue si voltò. Con le sue corna incurvate e la coda dritta, partì al galoppo verso la mandria.

Laura corse davanti a lui. Agitava le braccia e gridava. Il bue muggì e corse tuonando verso la riva del ruscello.

Laura corse con tutte le sue forze per riuscire a superarlo. Ma le sue gambe erano corte e le zampe di Pete erano lunghe. Jack arrivò più veloce che poté, ma Pete avanzava con balzi ancora più lunghi.

Pete balzò fin sopra la casa. Laura vide la sua zampa posteriore sprofondare giù attraverso il tetto. Poi il bue si sedette. Sarebbe caduto addosso a mamma e Carrie, e sarebbe stata colpa di Laura, perché non era riuscita a fermarlo.

L'animale tirava e cercava di liberarsi. Laura continuava a correre. Lei e Jack erano di fronte a Pete. Lo cacciarono nella stalla e Laura fissò le sbarre. Tremava dalla testa ai piedi e si sentiva le gambe molli. Le sue ginocchia sbattevano una contro l'altra.

Mamma arrivò correndo su per il sentiero, con Carrie in braccio. Nessuno si era fatto male. C'era solo un buco nel tetto, dove Pete aveva infilato la zampa. Mamma si era spaventata vedendola sbucare dal soffitto.

«Ma non ci sono grossi danni» disse.

Riempì il buco con dell'erba e spazzò la terra che era caduta in casa. Poi lei e Laura risero: era divertente vivere in una casa nella quale un bue poteva sbucare dal soffitto. Erano come dei conigli.

Il giorno seguente, mentre lavava i piatti, Laura vide dei piccoli granelli neri scendere lungo il muro imbiancato. Era la terra che si sbriciolava. Guardò in alto per vedere da dove arrivava, poi scappò più veloce di un coniglio. Una grossa roccia precipitò, poi tutto il soffitto crollò.

Il sole illuminava l'interno della casa e l'aria era piena di polvere. Mamma, Mary e Laura, tossendo e starnutendo, guardavano il cielo, là dove avrebbe dovuto esserci il tetto. In braccio a mamma, Carrie starnutiva. Jack corse in casa, vide il cielo sopra la sua testa e ringhiò. Poi starnutì.

«Beh, il problema è risolto» disse mamma.

«Che cosa, Ma?» chiese Laura. Pensò che mamma si riferisse al fatto che la polvere si stava diradando.

«È fatta» disse. «Papà dovrà riparare il tetto domani».

Portarono fuori la roccia, la terra e la paglia che era caduta. Mamma spazzò ancora e ancora con la scopa di salice.

Quella notte dormirono in casa, sotto il cielo stellato. Una cosa del genere non era mai successa prima.

Il giorno dopo papà dovette restare a casa per costruire un nuovo tetto. Laura lo aiutò a portare i rami di salice freschi e glieli porgeva perché potesse sistemarli. Misero dell'erba spessa e fresca sopra i rami di salice, poi ammucchiarono la terra sopra l'erba. Per finire, papà ricoprì il tutto con delle zolle erbose prese nella prateria.

Le mise insieme e Laura lo aiutò a compattarle.

«Quell'erba non si accorgerà nemmeno di essersi spostata» disse papà. «Tra qualche giorno non si potrà più distinguere questo nuovo tetto dalla prateria».

Non sgridò Laura per aver lasciato scappare Pete. Disse solo: «Non c'è posto per un grosso bue che corre, sul nostro tetto!»

Il mucchio di fieno

Papà finì con il raccolto del signor Nelson e, così facendo, pagò Spot. Ora poteva occuparsi del suo raccolto.

Affilò la lunga falce tagliente, che le bambine non potevano assolutamente toccare, e falciò il grano nel piccolo campo dietro la stalla. Lo raccolse in fasci e li accatastò. Poi ogni giorno andò a lavorare nella terra piatta al di là del ruscello. Tagliava l'erba della prateria e la lasciava seccare al sole. Poi la impilava con un rastrello di legno. Fissò Pete e Bright al carro, poi trascinò il fieno e ne fece sei grossi mucchi nel campo.

Ora era troppo stanco per suonare il violino, la sera. Ma era felice perché, una volta impilato il fieno, avrebbe potuto arare la terra ricoperta di stoppie per farne un campo di grano.

Una mattina, al sorgere del sole, arrivarono tre strani uomini con un macchinario per la trebbiatura e trebbiarono il grano di papà. Mentre attraversava l'erba inzuppata di rugiada insieme a Spot, Laura sentiva il rumore stridente della trebbiatrice. Quando il sole si alzò, la pula dorata svolazzava nel vento.

Finita la trebbiatura, gli uomini se ne andarono, prima di colazione. Papà avrebbe voluto che Hanson avesse seminato più grano.

«Ma ce n'è abbastanza per fare della farina» disse «e con il fieno, insieme all'erba che ho tagliato, nutriremo il bestiame per tutto l'inverno. Il prossimo anno» disse «avremo un raccolto degno di questo nome!»

Quando Laura e Mary andarono a giocare nella prateria, quel mattino, la prima cosa che videro fu un bellissimo mucchio di fieno dorato.

Era alto e splendeva alla luce del sole. Il suo profumo era più buono di quello dell'erba tagliata.

I piedi di Laura avanzavano nel fieno scivoloso, ma lei era velocissima ad arrampicarsi. In un minuto arrivò in cima al mucchio.

Guardò, al di là dei salici, le terre che si trovavano oltre il ruscello. Poteva vedere tutta intera la grande prateria tondeggiante. Stava in alto, nel cielo, alta quasi quanto gli uccelli. Agitava le braccia e saltava sul fieno morbido. Era come se volasse, con il vento, nel cielo.

«Sto volando! Sto volando!» disse a Mary, che si arrampicò e la raggiunse.

«Salta! Salta!» diceva Laura. Si tenevano le mani e saltavano, ancora e ancora, sempre più in alto. Il vento soffiava, le loro gonne svolazzavano e le cuffie penzolavano, legate intorno al collo.

«Più in alto! Più in alto!» cantava Laura saltando.

All'improvviso il fieno scivolò sotto di lei. Laura precipitò giù lungo il mucchio, seduta sul fieno, sempre più veloce e… *Bum!* Atterrò in fondo. E *bum!* Mary le finì addosso.

Si rotolarono ridendo nel fieno crepitante. Risalirono sul mucchio e scivolarono nuovamente. Non si erano mai divertite tanto.

Si arrampicavano e scivolavano, si arrampicavano e scivolavano, finché il mucchio non divenne un ammasso di fieno sparso.

Allora si calmarono. Papà aveva ammucchiato il fieno e ora non era più come l'aveva lasciato. Laura e Mary si guardarono, poi guardarono quel che restava del mucchio di fieno. Allora Mary disse che sarebbe rientrata a casa, e Laura andò con lei. Fecero le brave, aiutarono mamma e giocarono gentilmente con Carrie, finché papà tornò per pranzo.

Al suo arrivo, papà guardò Laura e lei abbassò lo sguardo.

«Bambine, non dovete scivolare sul fieno. Ho dovuto fermarmi a raccogliere tutto quello che era sparso in giro»

«Non lo faremo più, Pa» disse Laura sincera, e Mary ripeté: «No Pa, non lo faremo più».

Dopo pranzo Mary lavò i piatti e Laura li asciugò. Poi si misero le cuffie in testa e si diressero lungo il sentiero, nella prateria. Il mucchio di fieno dorato brillava al sole.

«Laura! Cosa stai facendo?» disse Mary.

«Non sto facendo niente!» rispose Laura «Non lo sto nemmeno toccando!»

«Vieni subito via da lì o lo dirò a Ma!» disse Mary.

«Pa non ha detto di non annusarlo» disse Laura.

Si avvicinò al mucchio dorato e lo annusò, respirando profondamente. Il fieno era caldo. Il suo profumo era ancora più buono del sapore dei chicchi di grano, quando li si masticava. Laura ci infilò il viso, chiudendo gli occhi e annusando ancora e ancora.

«*Mmm!*» mormorò.

Mary si avvicinò, annusò e ripeté: «*Mmm!*»

Laura guardò verso il grosso mucchio pungente e scintillante. Non aveva mai visto il cielo di un blu come quello sopra l'oro del fieno. Non poteva rimanere a terra. Doveva salire, avvicinarsi a quel cielo blu.

«Laura!» gridò Mary «Pa ha detto di no!» Laura continuava ad arrampicarsi: «Non l'ha detto, a dire il vero» puntualizzò. «Non ha detto di non salire. Ha detto di non scivolare. Sto solo salendo»

«Vieni subito giù» disse Mary.

Laura era in cima al mucchio. Guardò Mary e le disse, come una brava bambina: «Non scivolerò. Pa ha detto di non farlo».

Sopra di lei non c'era nient'altro che il cielo blu. Il vento soffia-va. La prateria era grande, immensa. Laura allargò le braccia e saltò, e il fieno la fece rimbalzare.

«Sto volando! Sto volando!» cantò. Mary salì, e anche lei comin-ciò a volare.

Saltarono più in alto che potevano. Poi si gettarono sul fieno morbido e caldo. Il fieno sporgeva di fianco a Laura. Lei rotolò su una protuberanza e questa si appiattì, ma ne venne fuori un'altra. Si rotolò anche su quella, poi cominciò a rotolare sempre più veloce. Non poteva più fermarsi.

«Laura!» gridò Mary «Pa ha detto…» Ma Laura stava rotolan-do. Rotolò giù lungo il mucchio di fieno e cadde a terra.

Saltò in piedi e si arrampicò nuovamente sul mucchio di fieno, più veloce che poté. Cadde e cominciò di nuovo a rotolare: «Dài, Mary!» urlò «Pa non ha detto di non rotolare!»

Mary stava in cima al mucchio e cercava di dissuaderla: «Lo so che Pa non ha detto di non rotolare, ma…»

«E allora!» Laura continuava a rotolare «Vieni!» la chiamò «È divertente!»

«Sì, ma io…» disse Mary, poi si mise a rotolare.

Si divertirono un sacco. Era ancora più divertente che scivolare. Si arrampicavano e rotolavano, ridendo sempre di più. Sempre più fieno rotolava giù insieme a loro. L'attraversavano, ci si rotolavano dentro, poi salivano e rotolavano di nuovo giù, finché non rimase più fieno su cui arrampicarsi.

Allora si tolsero tutto il fieno dai vestiti e dai capelli e si diresse-ro verso casa in silenzio.

Quando papà torno dal campo, quella sera, Mary era occupata ad apparecchiare la tavola per la cena. Laura era dietro la porta e giocava con le bambole di carta.

«Laura» disse papà con voce minacciosa «vieni qui».

Laura uscì lentamente da dietro la porta.

«Vieni qui» disse papà «qui, vicino a Mary».

Papà sedette e loro erano in piedi di fronte a lui, una accanto all'altra. Ma era Laura che lui guardava.

Disse, con voce severa: «Bambine, siete andate di nuovo a scivolare sul mucchio di fieno»

«No, Pa» disse Laura.

«Mary!» disse papà «Avete scivolato sul mucchio di fieno?»

«N… no, Pa» disse Mary.

«Laura!» la sua voce era terribile «Dimmi ancora una volta, AVETE SCIVOLATO SUL MUCCHIO DI FIENO?»

«No, Pa» rispose di nuovo, fissando gli occhi sconvolti di papà. Non capiva perché la guardasse così.

«Laura!» disse papà.

«Non abbiamo scivolato, Pa» spiegò Laura «abbiamo rotolato».

Papà si alzò in fretta, andò verso la porta e si mise a guardare fuori. La sua schiena tremava. Laura e Mary non sapevano cosa pensare.

Quando si voltò, il suo volto era serio ma gli occhi brillavano.

«Va bene, Laura» disse «ma da ora in poi voglio che stiate lontane da quel mucchio di fieno, bambine. Pete, Bright e Spot non avranno nient'altro che fieno da mangiare quest'inverno. Hanno bisogno di ogni singolo filo di fieno. Non volete che rimangano senza cibo, vero?»

«Oh no, Pa!» dissero.

«Bene, se quel fieno deve servire per nutrire i buoi, DEVE RIMANERE AMMUCCHIATO. Capito?»

«Sì, Pa» risposero Laura e Mary.

E quella fu la fine dei loro giochi nel mucchio di fieno.

Il tempo delle cavallette

Le susine stavano maturando nel boschetto di susini selvatici lungo il ruscello. Gli alberi erano bassi. Crescevano uno accanto all'altro, con tanti piccoli rami ispidi, carichi di susine succose dalla buccia sottile. Tutto intorno l'aria era dolce e calma e le ali degli insetti ronzavano.

Papà stava arando la terra oltre il ruscello, dove aveva tagliato l'erba. Prima ancora che il sole sorgesse, e che Laura portasse Spot a raggiungere la mandria nei pressi della roccia grigia, Pete e Bright erano già fuori dalla stalla. Papà li aveva legati all'aratro e aveva cominciato a lavorare.

Dopo aver lavato i piatti della colazione, Laura e Mary prendevano i secchi di latta e andavano a raccogliere le susine. Da sopra la casa, potevano vedere papà che arava. I buoi, l'aratro e papà avanzavano lentamente lungo una curva nella prateria. Sembravano piccoli piccoli e l'aratro sollevava una nuvola di polvere.

Ogni giorno la porzione di terra arata, di un marrone scuro che sembrava velluto, diventava sempre più grande e inghiottiva man mano i campi dorati ricoperti di stoppia oltre i mucchi di fieno. Si stendeva sulle onde della prateria. Sarebbe stato davvero un grande campo di grano e quando papà l'avrebbe raccolto, lui e mamma, Laura e Mary avrebbero avuto tutto quello che desideravano.

Avrebbero avuto una casa, dei cavalli, e caramelle ogni giorno, dopo il raccolto.

Laura attraversò l'erba alta fino ai susini vicino al ruscello. Aveva la cuffia appesa al collo e agitava il suo secchio di latta. L'erba era gialla e secca, ora, e decine di piccole cavallette saltavano crepitando al passaggio di Laura. Mary arrivò camminando dietro di lei, lungo il sentiero. Aveva la cuffia in testa.

Quando giunsero al bosco di susini, appoggiarono i loro secchi a terra. Riempivano i secchi piccoli di susine e li svuotavano in quelli grandi, poi trasportavano i secchi grandi fino al tetto della casa. Sull'erba fresca mamma aveva steso dei teli puliti, e Laura e Mary vi sistemavano sopra le susine per farle seccare al sole. Durante l'inverno avrebbero avuto susine secche da magiare.

L'ombra nel bosco di susini era lieve. Il sole filtrava attraverso le larghe foglie. I rami sottili si incurvavano per via del peso delle susine. Alcune di esse erano cadute e rotolate tra i ciuffi d'erba ai piedi degli alberi.

Alcune erano schiacciate, altre erano lisce, perfette. Altre ancora si erano aperte, mostrando l'interno giallo e succoso.

Api e calabroni si affollavano vicino alle spaccature, succhiandone il succo con tutte le loro forze. I loro pungiglioni squamosi si agitavano dalla gioia. Erano troppo occupate e felici per pungere. Quando Laura le toccava con un filo d'erba, si scansavano appena e non smettevano di succhiare il succo squisito delle susine.

Laura metteva tutte le susine buone nel suo secchio. Ma scacciava le vespe da quelle rotte e le infilava velocemente in bocca. Erano dolci, tiepide e succose. Le vespe le ronzavano attorno sbigottite: non capivano cosa fosse successo alla loro susina. Un attimo dopo si fiondavano su un'altra.

«Laura, mangi più susine di quante ne raccogli» disse Mary.

«Ma cosa dici?» la riprese Laura «Raccolgo tutte le susine che mangio»

«Hai capito cosa intendo» sbottò Mary «tu te ne stai lì a giocare mentre io lavoro».

Ma Laura riempiva il suo secchio grande con la stessa rapidità di Mary. Mary era di cattivo umore perché avrebbe preferito cucire o leggere, piuttosto che raccogliere susine. Laura invece detestava stare seduta ed era felice di raccogliere le susine.

Le piaceva scuotere gli alberi. Per scuotere un susino devi sapere esattamente come fare. Se lo scuoti troppo forte, le susine verdi cadranno e andranno sprecate. Se lo scuoti troppo piano non riuscirai a raccogliere tutte le susine mature. Cadranno durante la notte, e alcune di esse si spiaccicheranno e andranno perdute.

Laura aveva imparato come scuotere un susino. Afferrava il suo tronco ruvido e squamoso e gli dava una scossa rapida e leggera. Le susine ondeggiavano, si staccavano dal gambo e cadevano picchiettando tutto intorno a lei. Ancora una scossetta mentre le susine dondolavano, e gli ultimi frutti maturi cadevano: *puf-puf! Puf-puf! Puf! Puf!*

C'erano molti tipi di susine. Quando si finiva di raccogliere quelle rosse, maturavano le gialle. Poi era la volta di quelle blu violacee. Le più grandi erano le ultime: le susine invernali, che maturavano solo dopo le prime gelate.

Una mattina il mondo intero era ricoperto d'argento. Ogni filo d'erba era argentato e il sentiero luccicava. Il terreno era ghiacciato sotto i piedi di Laura che, al suo passaggio, vi lasciava impronte scure. L'aria fredda entrava dalle sue narici, il suo fiato fumava, e anche quello di Spot. Quando il sole si alzò, tutta la prateria scintillava. Milioni di piccole, minuscole gocce colorate splendevano sull'erba.

Quel giorno le susine invernali erano mature. Erano grandi susine viola, con la buccia ricoperta di un sottile velo argenteo, come la brina.

Il sole era meno caldo, adesso, e le notti erano fresche. La prateria era quasi dello stesso colore rossiccio dei mucchi di fieno. Il profumo dell'aria era diverso e il blu del cielo non era più così intenso.

Ma a mezzogiorno il sole scaldava ancora. Non c'era più pioggia, e non c'era nemmeno più la brina. Si avvicinava il giorno del Ringraziamento e non nevicava.

«Non capisco» disse papà «non ho mai visto un tempo del genere. Nelson dice che una volta lo chiamavano il tempo delle cavallette»

«Che cosa significa?» chiese mamma.

Papà scosse la testa: «Non saprei. Ha detto "il tempo delle cavallette". Non so cosa volesse dire»

«Deve essere un detto norvegese» concluse mamma.

A Laura piacque il suono di quelle parole e quando correva nell'erba crepitante della prateria e vedeva saltare le cavallette ripeteva: «Il tempo delle cavallette! Il tempo delle cavallette!»

Le mucche nel fieno

L'estate era finita, l'inverno stava arrivando e per papà era il momento di fare un viaggio in città. Qui nel Minnesota la città era così vicina che sarebbe partito un giorno solo, e mamma sarebbe andata con lui.

Prese Carrie con sé, perché lei era troppo piccola per rimanere lontana da mamma. Ma Mary e Laura erano grandi. Mary avrebbe presto compiuto nove anni e Laura otto e potevano stare a casa e cavarsela da sole mentre papà e mamma erano via.

Per andare in città, mamma fece a Carrie un vestito nuovo, con il calicò rosa che Laura indossava quando era piccola. Ce n'era abbastanza per farle anche una cuffietta.

Carrie aveva tenuto i bigodini di carta per tutta la notte. I suoi capelli scendevano in lunghi boccoli dorati e quando mamma le legò la cuffietta sotto il mento, Carrie sembrava una rosa.

Mamma indossava la sottogonna con il cerchio e il suo vestito migliore, quello di challis[3], con le fragoline stampate, che aveva indossato alla festa per la raccolta dello sciroppo[4] a casa della nonna, tanto tempo prima, nei Grandi Boschi.

«Ora fate le brave bambine, Laura e Mary» fu l'ultima cosa che disse. Era seduta sul sedile del carro con Carrie accanto. Portavano con sé il pranzo. Papà prese il pungolo per spronare i buoi.

---

3 Tessuto leggero di seta e lana, a trama semplice, spesso decorato con stampe floreali. [n.d.t.].

4 Nel volume *Little House in the Big Woods* Laura racconta che tutta la famiglia raccoglieva lo sciroppo d'acero per poi festeggiare a casa dei nonni [n.d.t.].

«Saremo di ritorno prima del tramonto» promise. «*Uh!*» disse a Pete e Bright. Il grosso bue e quello piccolo si allungarono nel loro giogo e il carro partì.

«Ciao Pa! Ciao Ma! Ciao Carrie, ciao!» salutarono Laura e Mary.

Il carro si allontanò lentamente. Papà camminava accanto ai buoi. Mamma, Carrie, il carro e papà diventarono sempre più piccoli, poi scomparvero.

Ora la prateria sembrava grande e vuota, ma non c'era nulla da temere. Non c'erano lupi né Indiani. E poi Jack era con Laura, e Jack era un cane responsabile. Sapeva che doveva occuparsi di tutto, quando papà era via.

Quella mattina Mary e Laura giocarono vicino al ruscello, tra i giunchi. Non si avvicinarono al punto in cui l'acqua era profonda e non toccarono il mucchio di fieno. A mezzogiorno bevvero il latte e mangiarono le focacce di granoturco con la melassa che mamma aveva lasciato per loro. Lavarono le tazze di latta e le misero a posto.

Poi Laura volle andare a giocare alla grande roccia grigia, ma Mary voleva restare a casa e disse che anche Laura doveva restare.

«Mamma può obbligarmi» obiettò Laura «ma tu no»

«Sì che posso» rispose Mary. «Quando mamma non c'è, devi fare quello che ti dico, perché io sono la più grande»

«Tu devi lasciarmi fare quello che voglio, perché sono la più piccola» disse Laura.

«La più piccola è Carrie, non tu» replicò Mary. «Se non fai quello che ti dico, lo dirò a mamma»

«Sono libera di giocare dove voglio!» concluse Laura.

Mary tentò di afferrarla, ma Laura fu più veloce. Si precipitò fuori e avrebbe voluto correre su per il sentiero, ma Jack era lì. Stava fermo e guardava al di là del ruscello. Laura guardò a sua volta e gridò: «Mary!»

La mandria si era riunita intorno al fieno di papà e lo stava mangiando. I buoi infilavano le corna nel mucchio, tiravano fuori il fieno, lo mangiavano e lo calpestavano.

Non sarebbe rimasto più nulla da mangiare per Pete, Bright e Spot durante l'inverno.

Jack sapeva cosa fare. Corse ringhiando giù per la scala, fino alla passerella. Papà non c'era e loro dovevano salvare il fieno. Dovevano mandare via i buoi.

«Oh, non possiamo! Non possiamo!» disse Mary, spaventata. Ma Laura corse dietro a Jack e Mary la seguì. Attraversarono il ruscello e la sorgente. Salirono su per la prateria. I grossi animali erano ormai vicini. Le lunghe corna si infilavano nel fieno, le grosse zampe pestavano e spingevano, le grosse bocche urlavano.

Mary era troppo spaventata per riuscire a muoversi. Laura era troppo spaventata per riuscire a stare ferma. Strattonò Mary, poi vide un bastone, lo raccolse e corse urlando verso gli animali. Jack corse verso di loro ringhiando. Una grossa mucca rossa lo colpì con le corna, ma lui balzò sotto di lei. La mucca sbuffò e partì al galoppo. Tutti gli altri animali si misero a correrle dietro incurvandosi e spintonandosi mentre Jack, Laura e Mary li rincorrevano.

Ma non riuscirono ad allontanarli dai mucchi di fieno. I bovini correvano intorno e tra i mucchi, inarcandosi e sbraitando, tirando via il fieno, spargendolo intorno e calpestandolo.

Laura era accaldata e aveva le vertigini. I capelli le si erano sciolti e le finivano davanti agli occhi. Aveva mal di gola, a forza di urlare, però continuava a farlo, correndo e agitando il bastone. Ma aveva troppa paura per colpire una di quelle grosse mucche con le corna. Il fieno continuava a staccarsi dai mucchi e gli animali continuavano a calpestarlo.

All'improvviso Laura si voltò e si mise a correre nella direzione opposta. Si trovò di fronte alla grossa mucca rossa che stava girando intorno a un mucchio di fieno.

Le grosse zampe, le enormi spalle e le terribili corna si avvicinavano velocemente. Laura non riusciva più a urlare, ma saltò verso la mucca agitando il bastone. La mucca cercò di fermarsi, ma gli altri animali che arrivavano da dietro non fecero in tempo.

Deviò bruscamente attraverso il campo arato, e tutte le altre la seguirono al galoppo.

Jack, Mary e Laura le avevano cacciate. Lontano, sempre più lontano dal fieno. Le avevano cacciate lontano, nell'alta prateria.

Johnny Johnson spuntò fuori dalla prateria, strofinandosi gli occhi. Si era addormentato in una comoda nicchia, in mezzo all'erba.

«Johnny! Johnny!» urlò Laura «Svegliati e occupati della mandria!»

«Sarebbe il caso!» disse Mary.

Johnny Johnson guardò le bestie che pascolavano nell'erba alta, poi guardò Laura, Mary e Jack. Non sapeva cosa fosse successo e non potevano spiegarglielo perché parlava solo norvegese.

Tornarono indietro tra l'erba alta che frenava le loro gambe tremanti. L'acqua della sorgente fu un sollievo. E fu un sollievo tornare a casa, sedersi e riposare.

La fuga

Per tutto quel lungo, tranquillo pomeriggio rimasero in casa. Le mucche non tornarono vicino al fieno accatastato. Lentamente il sole scendeva lungo il cielo a Occidente. Presto avrebbero dovuto andare incontro alla mandria, alla roccia grigia. Laura e Mary speravano che papà e mamma arrivassero presto.

Ancora una volta salirono lungo il sentiero sperando di vedere il carro. Alla fine rimasero sedute ad aspettare con Jack sul tetto erboso della casa. Più il sole scendeva, più le orecchie di Jack si rizzavano. Spesso lui e Laura si alzavano in piedi per scrutare l'orizzonte nel punto in cui il carro era scomparso, nonostante potessero vederlo anche da sedute. Alla fine Jack ruotò un orecchio in quella direzione. Poi anche l'altro. Si voltò a guardare Laura e un brivido lo percorse dal collo fino alla coda tozza. Il carro stava arrivando!

Si alzarono a guardarlo mentre sbucava fuori dalla prateria. Quando Laura vide i buoi, poi mamma e Carrie sul sedile del carro, cominciò a saltare agitando la cuffia e urlando: «Stanno arrivando! Stanno arrivando!»

«Vanno troppo veloci» disse Mary.

Laura rimase immobile. Sentiva il carro sferragliare rumorosamente. Pete e Bright arrivavano a tutta velocità. Stavano correndo. Stavano scappando.

Il carro si avvicinava sobbalzando, strattonando e rimbalzando. Laura vide mamma accucciata in un angolo del carro. Stava aggrappata e stringeva Carrie. Papà avanzava a grandi balzi accanto a Bright, urlando e colpendo il bue con il pungolo.

Cercava di deviare la sua corsa diretta verso il ruscello.

Non riuscì a farlo. Il grosso animale galoppava sempre più vicino alla ripida sponda. Bright stava per spingere giù papà. Sarebbero caduti tutti. Il carro, mamma e Carrie sarebbero caduti giù dal dirupo, precipitando nel ruscello.

Papà lanciò un urlo tremendo. Colpì la testa di Bright con tutte le sue forze, e Bright svoltò. Laura accorse urlando. Jack saltò sul muso di Bright. Il carro, mamma e Carrie passarono sfrecciando. Bright andò a sbattere contro la stalla e finalmente tutto fu immobile.

Papà corse verso il carro e Laura lo seguì.

«Accidenti, Bright, Pete!» disse papà. Si aggrappò al carro e guardò mamma.

«Stiamo bene, Charles» disse. Era pallida e tremava dalla testa ai piedi.

Pete aveva tentato di entrare nella stalla, ma era legato a Bright, che era finito contro il muro. Papà tirò fuori mamma e Carrie e mamma disse: «Non piangere, Carrie. Hai visto, va tutto bene».

L'abitino rosa di Carrie era strappato sul davanti. Carrie ansimava, stretta a mamma, e cercava di smettere di piangere, come lei le aveva detto di fare.

«Oh, Caroline, credevo che sareste cadute giù dalla sponda» disse papà.

«Per un attimo l'ho creduto anch'io» rispose mamma «ma avrei dovuto sapere che non avresti lasciato che accadesse»

«*Uff!*» disse papà «il buon vecchio Pete. Lui non stava scappando. Era Bright, Pete andava solo avanti. Ha visto la stalla e voleva rientrare per cena».

Ma Laura sapeva che mamma e Carrie sarebbero precipitate nel ruscello con il carro e i buoi, se papà non avesse colpito Bright così forte. Si strinse alla sua gonna con il cerchio, l'abbracciò forte ed esclamò «Oh, Ma! Oh, Ma!» Lo stesso fece Mary.

«Tutto è bene quel che finisce bene» disse mamma. «Ora aiutatemi a portare i pacchi in casa mentre papà si occupa dei buoi».

Portarono in casa tutti i pacchetti. Andarono incontro alla mandria alla roccia grigia e misero Spot nella stalla. Poi Laura aiutò papà a mungerla, mentre Mary aiutava mamma in cucina.

A cena raccontarono di come le mucche erano andate tra le cataste di fieno e di come le avevano mandate via. Papà disse che avevano fatto la cosa giusta: «Sapevamo di poter contare su di voi; che vi sareste occupate di tutto. Vero, Caroline?»

Avevano completamente dimenticato che papà portava sempre dei regali per loro dalla città. Finché, dopo cena, lui spinse indietro la sua panca e le guardò come se aspettasse qualcosa. Laura si sedette su una delle sue ginocchia e Mary sull'altra. Poi Laura si fece avanti e chiese: «Cosa ci hai portato, Pa? Cosa? Cosa?»

«Indovinate» rispose papà.

Non riuscirono a indovinare. Ma Laura sentì qualcosa scricchiolare nella tasca del suo maglione e si precipitò a prenderlo. Tirò fuori un bellissimo sacchetto di carta a strisce rosse e verdi. Nel sacchetto c'erano due bastoncini di zucchero candito: uno per Mary e uno per Laura!

Erano piatti da un lato, e del colore dello sciroppo d'acero.

Mary leccò il suo. Laura invece lo addentò e la parte esterna si staccò, sbriciolandosi. All'interno era duro e di colore marrone.

E aveva un gusto intenso e piccante. Papà disse che era marru-
bio[5] candito.

Dopo aver lavato i piatti, Laura e Mary presero ciascuna il suo
zucchero candito e sedettero sulle ginocchia di papà, fuori al fresco
del crepuscolo. Mamma sedette all'ingresso della casa, cullando
Carrie tra le braccia.

Il ruscello bisbigliava sotto i salici gialli. Una a una, le grosse
stelle dondolavano basse e sembravano tremare, sfavillanti nel vento leggero.

Laura era stretta tra le braccia di papà. La sua barba le pizzicava dolcemente la guancia e il delizioso sapore dello zucchero le si
scioglieva in bocca.

Dopo un po' disse: «Pa»

«Cosa c'è, scricciolo?» chiese la voce di papà, tra i suoi capelli.

«Mi sa che preferisco i lupi ai buoi»

«I buoi sono più utili» rispose papà.

Laura ci pensò un attimo, poi disse: «Preferisco lo stesso i lupi».
Non voleva contraddire papà. Diceva solo quello che pensava.

«Bene, Laura. Avremo presto un bel po' di cavalli» concluse papà.

Sapeva quando li avrebbero avuti: dopo il raccolto del grano.

---

5 Pianta conosciuta per le sue proprietà balsamiche [n.d.t.].

I cavalli di Natale

Il tempo delle cavallette era un tempo strano. Neppure nel giorno del Ringraziamento ci fu la neve.

Quella sera cenarono con la porta aperta. Laura poteva vedere nella prateria, al di là dei salici, il punto in cui il sole tramontava. Della neve nessuna traccia. La prateria era come una pelliccia morbida e gialla. La linea in cui incontrava il cielo non era più così netta, ora. Era sbiadita, come sfocata.

«Il tempo delle cavallette» ripeteva Laura tra sé. Pensava alle lunghe ali avvolgenti delle cavallette e alle loro spigolose zampe posteriori. Erano zampette sottili e ruvide. Le teste erano dure, con grandi occhi ai lati e le piccole mascelle sempre in movimento.

Se prendevi una cavalletta tra le mani e le appoggiavi un filo d'erba sulla bocca, lo rosicchiava velocemente. Lo mangiava tutto in un attimo, fino a inghiottire anche l'ultimo pezzetto.

La cena del Ringraziamento era buona. Per l'occasione papà aveva ucciso un'oca selvatica. Mamma aveva dovuto stufarla perché non avevano un camino né un forno, ma solo un piccolo fornello. Nel sugo della carne mamma aveva cotto dei fagottini. C'erano focaccine di granoturco e purè di patate. C'erano burro, latte e susine secche stufate. E tre chicchi di mais arrostito accanto a ogni piatto di stagno. Nel primo giorno del Ringraziamento i poveri pellegrini non avevano nient'altro da mangiare: solo tre chicchi di mais arrostito. Allora gli Indiani portarono loro dei tacchini, e i pellegrini, riconoscenti, ringraziarono.

Ora, dopo aver mangiato la loro cena del Ringraziamento, abbondante e squisita, Laura e Mary potevano mangiare i tre chicchi di mais e ricordare i pellegrini. Il mais arrostito era buono. Era croccante e aveva un sapore dolce.

Così anche il Ringraziamento era passato ed era tempo di pensare al Natale. Eppure non c'era ancora neve né pioggia. Il cielo era grigio, la prateria sbiadita, il vento freddo. Ma il vento soffiava sopra il tetto del rifugio. «Una casa scavata nella terra è comoda e accogliente» disse mamma «ma mi sento come un animale rintanato per l'inverno»

«Non preoccuparti, Caroline» disse papà «avremo una bella casa il prossimo anno».

I suoi occhi brillavano e la sua voce era come una melodia: «E bei cavalli, e un calesse! Ti porterò a spasso vestita di seta dalla testa ai piedi! Pensa, Caroline, questa terra piatta e ricca, senza una pietra o un ceppo con cui dover lottare, a soli cinque chilometri dalla ferrovia! Possiamo vendere ogni singolo chicco di grano che coltiveremo!»

Poi si passò le dita tra i capelli e disse: «Mi piacerebbe avere dei cavalli»

«Ora, Charles» disse mamma «siamo qui, stiamo bene, al caldo e al sicuro, e abbiamo cibo per l'inverno. Cerchiamo di essere riconoscenti per ciò che abbiamo»

«Lo sono» disse papà «ma Pete e Bright sono troppo lenti per lavorare la terra e per mietere il raccolto. Ho arato quel grande campo con loro ma non potrò avere il grano, senza cavalli».

Allora Laura poté parlare senza interrompere. Disse: «Non c'è un camino»

«Che cosa vuoi dire?» chiese mamma.

«Babbo Natale» rispose Laura.

«Mangia, Laura, ci penseremo quando sarà il momento».

Laura e Mary sapevano che Babbo Natale non poteva venir giù dal camino se non c'era un camino. Un giorno Mary chiese a mamma come avrebbe fatto Babbo Natale. Mamma non rispose e chiese, invece: «Che regali desiderate per Natale, bambine?»

Stava stirando. L'asse da stiro poggiava da un lato sul tavolo e dall'altro sul letto. Papà aveva fatto la sponda alta proprio per quello. Carrie giocava sul letto e Laura e Mary sedevano a tavola. Mary stava dividendo dei quadrati di stoffa e Laura stava facendo un grembiule per Charlotte, la bambola di pezza. Il vento soffiava sul letto e mugolava nella canna fumaria, ma non nevicava ancora.

Laura disse: «Caramelle»

«Anch'io» disse Mary, e Carrie gridò: «Melle?»

«E un vestito nuovo per l'inverno, e un cappotto, e una mantella col cappuccio»

«Anch'io» disse Laura «e un vestito per Charlotte, e...»

Mamma sollevò il ferro dalla tavola e glielo porse perché testassero se era abbastanza caldo. Si leccarono le dita e le appoggiarono, velocissimamente, al fondo liscio e caldo. Se scoppiettava, allora era abbastanza caldo.

«Grazie, Mary e Laura» disse mamma.

Cominciò a stirare con cura intorno e sopra i rattoppi della camicia di papà.

«Sapete cosa vorrebbe papà per Natale?»

Non lo sapevano.

«Dei cavalli» disse mamma. «Vi piacerebbe avere dei cavalli?»

Laura e Mary si guardarono.

«Pensavo» continuò mamma «che se tutti chiedessimo dei caval-li, e nient'altro che cavalli, forse...»

A Laura sembrava strano. I cavalli erano una cosa normale, non un regalo di Natale. Se papà voleva dei cavalli, li avrebbe comprati scambiandoli con qualcos'altro. Non riusciva a pensare contempo-raneamente ai cavalli e a Babbo Natale.

«Ma!» urlò «Babbo Natale esiste, vero?»

«Certo che esiste» disse mamma «più siete grandi, più cose sape-te a riguardo» aggiunse.

«Ora siete abbastanza grandi per capire che non può essere una persona sola, giusto? Capite che non può essere ovunque nella not-te di Natale. Nei Grandi Boschi, nella terra degli Indiani, laggiù, nello Stato di New York, e qui, e scendere giù per tutti i camini nel-lo stesso momento. Lo capite, vero?»

«Sì, Ma» dissero Mary e Laura.

«Bene» disse mamma «allora capite...»

«Credo che sia un po' come gli angeli» disse Mary, lentamente. Anche Laura lo capiva, proprio come Mary.

Allora mamma disse loro alcune cose su Babbo Natale. Lui era ovunque, e in ogni momento.

Ogni volta che qualcuno pensava agli altri, era Babbo Natale.

La notte di Natale era un momento in cui tutti pensavano agli altri. Quella notte Babbo Natale era ovunque perché tutti, contem-poraneamente smettevano di essere egoisti e pensavano alla felicità degli altri. E al mattino si vedeva il risultato.

«Se tutti volessero la felicità degli altri ogni giorno dell'anno, allora sarebbe sempre Natale?» chiese Laura, e mamma rispose: «Sì, Laura».

Laura ci pensò, e così fece Mary. Riflettevano e si guardavano. Sapevano cosa mamma si aspettava da loro. Sperava che non chie-dessero altro che i cavalli per papà. Si guardarono ancora una volta, poi distolsero lo sguardo senza dire nulla. Persino Mary, che era sempre così buona, non disse nulla.

Quella sera, dopo cena, papà prese Laura e Mary tra le sue braccia. Laura lo guardò negli occhi, poi si strinse a lui e disse: «Pa»

«Cosa c'è, scricciolo?» chiese papà.

«Vorrei che Babbo Natale ci portasse...»

«Cosa?» chiese papà.

«Dei cavalli» rispose Laura «se me li lasci cavalcare, ogni tanto»

«Anch'io!» disse Mary. Ma Laura l'aveva detto per prima.

Papà era sorpreso. I suoi occhi brillavano mentre le guardava. «Davvero, bambine, vorreste dei cavalli?»

«Oh, sì, Pa!» dissero.

«In tal caso» concluse papà sorridendo «credo proprio che Babbo Natale ce ne porterà qualcuno».

Era deciso. Non avrebbero avuto nessun regalo per Natale, solo i cavalli. Laura e Mary si svestirono con calma, e con calma si abbottonarono la camicia da notte e si allacciarono la cuffia. Si inginocchiarono insieme e dissero:

Ora vado a dormire.
Prego il Signore, che la mia anima protegga.
Se dovessi morire prima del risveglio
Prego il Signore che la mia anima prenda.

«Benedici Pa, Ma, Carrie, e tutti gli altri, e aiutami a essere una brava bambina, ora e sempre. Amen» aggiunsero.

E Laura concluse, mentalmente: "E fa' che io sia felice di ricevere solo i cavalli, ora e sempre, ancora amen".

Si mise a letto ed era già felice. Pensava ai cavalli lucenti e scintillanti, alle loro criniere e alle loro code che svolazzavano al vento.

A come sollevavano velocemente i piedi e annusavano l'aria con il naso vellutato. E a come osservavano tutto con i loro occhi dolci e lucenti. E papà le avrebbe permesso di cavalcarli.

Papà aveva accordato il violino e ora se lo appoggiava sulla spalla. Sopra le loro teste il vento gemeva solitario, al buio e al freddo. Ma in casa si stava comodi e caldi.

Le scintille saltavano fuori dai bordi del fornello, si riflettevano nei ferri da maglia di mamma e cercavano di saltare sul gomito di papà. L'archetto danzava nell'ombra; il piede di papà batteva sul pavimento e la musica allegra copriva il triste gemito del vento.

Un Natale felice

Il mattino dopo arrivò la neve. I fiocchi scendevano roteando e dondolando nel vento.

Laura non poté andare fuori a giocare. Spot, Pete e Bright rimasero tutto il giorno nella stalla, mangiando la paglia e il fieno. In casa, papà aggiustava i suoi stivali mentre mamma gli leggeva, ancora una volta, il romanzo *Millbank*[6]. Mary cuciva e Laura giocava con Charlotte. Poteva prestare Charlotte a Carrie, ma non le bamboline di carta: Carrie era troppo piccola e avrebbe potuto strapparle.

Quel pomeriggio, mentre Carrie dormiva, mamma chiamò Mary e Laura con un cenno. Dalla sua espressione si capiva che aveva un segreto. Avvicinarono le loro teste alla sua e lei glielo svelò. Potevano fare una collana di bottoni da regalare a Carrie per Natale. Si misero sul loro letto, dando le spalle a Carrie e divaricando le gambe. Mamma diede loro la scatola dei bottoni. Era quasi piena. Mamma aveva tenuto da parte i bottoni da quando era più piccola di Laura, e aveva bottoni che sua madre aveva conservato, a sua volta, da quando era bambina. C'erano bottoni blu e rossi, argentati e dorati; bottoni bombati con castelli, ponti e alberi a rilievo; bottoni luccicanti di giavazzo nero e di porcellana dipinta, bottoni a strisce, bottoni che sembravano more succose, e c'era anche un piccolo bottone a forma di testa di cane. Nel vederlo, Laura strillò.

---

6 *Millbank or Roger Irving's Ward* è un romanzo di Mary J. Holmes pubblicato nel 1872 [n.d.t.].

«*Shh!*» la zittì mamma. Ma Carrie non si svegliò.

Mamma diede loro tutti quei bottoni perché facessero una collana per Carrie.

Dopotutto, a Laura non dispiaceva stare in casa. Quando guardava fuori, vedeva il vento che spostava cumuli di neve lungo la terra spoglia e ghiacciata. Anche il ruscello era ghiacciato e le chiome dei salici si agitavano rumorosamente. In casa, lei e Mary avevano il loro segreto.

Giocavano docilmente con Carrie e le davano tutto ciò che voleva. La coccolavano e cantavano per farla addormentare ogni volta che potevano. Poi tornavano a lavorare alla loro collana. Mary teneva un'estremità e Laura l'altra. Sceglievano i bottoni e li infilavano. Osservavano il filo, toglievano alcuni bottoni e ne mettevano altri. A volte toglievano tutti i bottoni e ricominciavano. Avrebbero fatto la collana di bottoni più bella del mondo.

Un giorno mamma disse loro che era la vigilia di Natale. Dovevano finire la collana quel giorno stesso.

Ma non riuscivano a far dormire Carrie, che correva e strillava, si arrampicava sulle panche e saltava giù, saltellava e cantava. Non si stancava mai. Mary le disse di stare seduta e buona come una signorina, ma lei non voleva. Laura lasciò che prendesse Charlotte, e lei la lanciava in aria, scagliandola persino contro il muro.

Alla fine mamma la cullò e le cantò una ninna nanna. Laura e Mary rimasero completamente immobili. Mamma cantò sempre più piano e Carrie sbatté le palpebre finché gli occhi non le si chiusero.

Quando mamma smise di cantare, Carrie li spalancò nuovamente urlando: «Ancora, Ma, ancora!»

Infine si addormentò. Allora, in fretta, Laura e Mary terminarono la collana di bottoni. Mamma ne unì le estremità. Era fatta. Ora non si poteva più cambiare un singolo bottone. Era una bellissima collana.

Quella sera, dopo cena, mentre Carrie dormiva profondamente, mamma appese le sue calzine pulite al bordo del tavolo. Laura e Mary, in camicia da notte, infilarono la collana in una calza.

Ed ecco tutto. Mary e Laura stavano per andare a dormire quando papà chiese loro: «Non appendete le vostre calze?»

«Ma pensavo...» disse Laura «pensavo che Babbo Natale ci avrebbe portato dei cavalli»

«Forse lo farà» disse papà «ma le bambine appendono sempre le loro calze la vigilia di Natale, non è vero?»

Laura non sapeva cosa pensare, e nemmeno Mary. Mamma prese due calze pulite dalla scatola dei vestiti e papà l'aiutò ad appenderle vicino a quelle di Carrie. Laura e Mary dissero le loro preghiere e andarono a letto, incuriosite.

Al mattino Laura sentì il fuoco scoppiettare. Socchiuse un occhio e vide la luce della lampada e un rigonfiamento nella sua calza di Natale.

Urlò e saltò giù dal letto. Anche Mary arrivò di corsa, Carrie si svegliò. Nella calza di Laura e in quella di Mary c'erano dei pacchettini di carta, uguali. All'interno c'erano delle caramelle. Entrambe ne avevano sei. Non avevano mai visto caramelle così belle. Erano troppo belle per mangiarle. Alcune erano ondulate come fiocchetti. Alcune erano bastoncini di zucchero ornati, alle estremità, di fiori colorati. Altre erano perfettamente rotonde e a strisce.

In una delle calzine di Carrie c'erano quattro belle caramelle. Nell'altra c'era la collana di bottoni. Gli occhi e la bocca di Carrie si spalancarono quando la vide. Poi urlò, l'afferrò e urlò ancora. Seduta in braccio a papà, guardava le sue caramelle e la sua collana di bottoni agitandosi e ridendo dalla gioia.

Era ora, per papà, di occuparsi degli animali. Disse: «Pensate che ci sia qualcosa per noi nella stalla?» e mamma disse:

«Vestitevi più in fretta che potete, bambine, così potrete andare a vedere nella stalla con papà».

Era inverno, quindi dovettero indossare calze e scarpe. Mamma le aiutò ad allacciare le scarpe e legò loro lo scialle sotto il mento. Corsero fuori nel freddo.

Tutto era grigio, a eccezione di una lunga striscia nel cielo, a Est. La sua luce rossa brillava sulle macchie di neve grigio-bianca. La neve, impigliata nell'erba secca sui muri e sul tetto della stalla, era rossa. Papà rimase a guardare sulla porta della stalla. Rise quando vide arrivare Laura e Mary e uscì per lasciarle entrare.

Lì, al posto di Pete e Bright, c'erano due cavalli. Erano più grandi di Pet e Patty, e di un color marrone rossiccio, lucido come la seta. Avevano la criniera e la coda nere e gli occhi limpidi e mansueti. Avvicinarono il naso vellutato a Laura e annusarono dolcemente la sua mano, riscaldandola con il loro fiato.

«Ecco, palpitacuore[7]!» disse papà «Mary, vi piace questo regalo di Natale?»

«Tanto, Pa» disse Mary, ma Laura non riuscì a dire altro che: «Oh, Pa!»

Gli occhi di papà brillavano. Chiese: «Chi vuole cavalcare i cavalli di Natale per portarli a bere?»

Laura non stava nella pelle mentre lui aiutava Mary a salire e le mostrava come tenersi alla criniera, dicendole di non avere paura. Poi le sue mani forti sollevarono Laura. Laura sedette sulla grande schiena docile del cavallo e sentì la sua vitalità che la sosteneva.

Fuori, la luce del sole si rifletteva sulla neve e sulla brina e tutto scintillava. Papà avanzava per primo, guidando i cavalli. Portava l'ascia per rompere il ghiaccio del torrente, in modo che gli animali potessero bere. I cavalli sollevavano la testa, respiravano a fondo e

---

7 Nel libro *La città di Smeraldo* di L. Frank Baum, i palpitacuore sono personaggi molto ansiosi, che tendono a disperarsi per un nonnulla [n.d.t.].

poi, con energia, buttavano fuori l'aria fredda dal naso. Le loro orecchie vellutate si muovevano avanti e indietro.

Laura si tenne alla criniera del suo cavallo, sbattendo tra loro le scarpe e ridendo. Papà, i cavalli, Mary e Laura erano felici in quel lieto, freddo mattino di Natale.

Piena primaverile

Nel cuore della notte Laura sedette diritta sul letto. Non aveva mai sentito un rumore come quello che scrosciava dietro la porta.

«Pa! Pa, cos'è?» urlò.

«Sembra il ruscello» disse lui, saltando giù dal letto. Aprì la porta e lo scroscio entrò nel buio pesto della casa. Laura era spaventata.

Sentì papà urlare: «Santo cielo! Sta piovendo a dirotto!»

Mamma disse qualcosa che Laura non riuscì a capire.

«Non si vede niente!» urlò papà «È buio pesto! Non preoccuparti, il ruscello non può salire così in alto. Uscirà dalla riva bassa, dall'altro lato!»

Chiuse la porta e il rumore non fu più così forte.

«Va' a dormire, Laura» disse. Ma Laura rimase sveglia ad ascoltare quel fragore che tuonava da sotto la porta.

Poi aprì gli occhi. La finestra era grigia, papà non c'era e mamma stava preparando la colazione, ma il ruscello continuava a scrosciare.

In un attimo Laura scese dal letto e aprì la porta. Ah! Una pioggia gelida le cadde addosso togliendole il fiato. Saltò fuori, sotto l'acqua, bagnandosi completamente. Ai suoi piedi, il ruscello correva e scrosciava.

Il sentiero finiva lì. L'acqua furiosa saliva e rotolava sugli scalini che di solito scendevano alla passerella. I salici erano sommersi e le chiome degli alberi creavano vortici di schiuma gialla. Il rumore rimbombava nelle orecchie di Laura. Non poteva udire la pioggia. La sentiva battere contro la sua camicia da notte fradicia, e sbattere sulla sua testa, come se non avesse i capelli, ma sentiva solo il selvaggio fragore del ruscello.

L'acqua, rapida e possente, era spaventosa e insieme affascinante. Gorgogliava formando una schiuma tra le chiome degli alberi e scivolava via, con un turbine, nella prateria. Balzava alta e bianca controcorrente, là dove il ruscello svoltava. Cambiava in continuazione eppure era sempre uguale, forte e terribile.

All'improvviso mamma spinse Laura dentro casa, chiedendole: «Non hai sentito che ti chiamavo?»

«No, Ma» rispose Laura.

«Beh, no» disse mamma «suppongo di no».

L'acqua colava giù creando una pozzanghera ai piedi di Laura. Mamma le tolse la camicia da notte inzuppata e la asciugò bene con un asciugamano.

«Ora vestiti in fretta» disse mamma «o prenderai un brutto raffreddore».

Ma Laura aveva caldo. Non si era mai sentita così viva. Mary disse: «Mi sorprendi, Laura. Io non uscirei mai sotto la pioggia inzuppandomi in quel modo»

«Oh, Mary, avresti dovuto vedere il ruscello!» gridò Laura, e chiese: «Posso uscire a vederlo di nuovo dopo colazione, Ma?»

«No, non puoi» rispose mamma «non finché continua a piovere».

Ma mentre facevano colazione la pioggia cessò. Il sole splendeva e papà disse che Laura e Mary potevano andare con lui a vedere il ruscello.

L'aria era fresca, pulita e umida. Aveva il profumo della primavera. Il cielo era blu, solcato da grandi nuvole bianche. La neve si era sciolta e la terra era inzuppata. Dalla sponda alta Laura poteva ancora sentire lo scroscio del ruscello.

«Questo tempo mi sconvolge» disse papà «non ho mai visto nulla del genere»

«È ancora il tempo delle cavallette?» gli chiese Laura, ma papà non seppe rispondere.

Camminarono lungo la riva alta, guardando quello strano spettacolo. Il ruscello ruggente e spumeggiante aveva cambiato tutto. I boschetti di susini non erano che mucchi di legno nell'acqua schiumosa. Il monticello era un'isola circolare. Tutto intorno, l'acqua scorreva dolcemente. Usciva e rientrava in quel vasto fiume impetuoso. Gli alti salici erano diventati salici bassi in mezzo a un lago.

Oltre gli alberi, la terra che papà aveva arato era nera e bagnata. Papà la guardò e disse: «Non manca molto. Presto potrò seminare il grano».

La passerella

Il giorno seguente Laura era sicura che mamma non l'avrebbe lasciata andare a giocare al ruscello, che continuava a scrosciare, ma in modo più tranquillo. Laura riusciva a sentirne il richiamo, così sgattaiolò fuori in silenzio, senza dire nulla a mamma.

Ora l'acqua non era più così alta. Era scesa dai gradini e Laura poteva vederla sbattere contro la passerella. Una parte dell'asse era fuori dall'acqua.

Per tutto l'inverno il ruscello era stato ricoperto di ghiaccio. Era rimasto fermo e immobile, senza produrre il minimo suono. Ora correva spedito e faceva un rumore allegro. Dove colpiva il bordo della tavola, formava una schiuma bianca fatta di bolle che sembravano ridacchiare.

Laura si tolse le scarpe e le calze e le appoggiò al sicuro sull'ultimo gradino. Poi camminò sulla tavola e rimase in piedi a guardare l'acqua gorgheggiante.

Le gocce guizzavano sui suoi piedi e piccole onde li contornavano. Infilò un piede nell'acqua spumeggiante. Poi sedette sulla tavola lasciando cadere entrambe le gambe nell'acqua. Il torrente le spingeva forte e lei lo scalciava. Era divertente!

Ora era quasi tutta bagnata, ma aveva voglia di immergersi completamente. Si sdraiò a pancia in giù e infilò le braccia ai lati della tavola, immergendole nella forte corrente. Ma non le bastava. Voleva stare proprio dentro il ruscello allegro e scrosciante. Unì le due mani sotto la tavola e rotolò giù.

In quel preciso momento, seppe che il ruscello non stava scherzando. Era forte e terribile. La afferrò e la spinse sotto la tavola. Rimasero fuori solo la testa e un braccio, aggrappato disperatamente alla larga tavola.

L'acqua la tirava e la spingeva, cercando di trascinarle la testa sotto la tavola. Il mento era aggrappato al bordo e il braccio si teneva stretto mentre l'acqua tirava il resto del suo corpo. Il ruscello non rideva più, adesso.

Nessuno sapeva dove fosse Laura. Se avesse urlato per chiedere aiuto, non l'avrebbero sentita. L'acqua scrosciava rumorosamente e la strattonava sempre più forte. Laura scalciava, ma il ruscello era più forte delle sue gambe. Aveva entrambe le braccia sulla tavola e tirava, ma la corrente era più forte: le trascinava la testa in acqua facendola sbattere così forte che le sembrava sul punto di aprirsi in due. L'acqua era fredda. Il freddo le entrava nelle ossa.

Il ruscello non era vivo, come i lupi o la mandria. Ma era forte, terribile, inarrestabile. L'avrebbe tirata giù e risucchiata nel suo turbine, trascinandola e scuotendola come un ramo di salice. Aveva le gambe stanche, e le braccia quasi non sentivano più la tavola.

"Devo uscire. Devo!" pensò. Sentiva nella testa lo scroscio del torrente. Spinse forte con entrambi i piedi, tirò energicamente con le braccia e fu di nuovo sdraiata sulla passerella.

La tavola era solida sotto la pancia e sotto il viso. Sdraiata sulla passerella, Laura respirava ed era felice di trovarsi su qualcosa di solido.

Quando si mosse, ebbe un capogiro. Avanzò carponi e lasciò la passerella. Prese le scarpe e le calze e salì lentamente su per gli scalini fangosi. Si fermò davanti alla porta di casa. Non sapeva cosa dire a mamma.

Dopo un po' entrò. Ancora gocciolante, rimase in piedi vicino alla porta. Mamma stava cucendo.

«Dove sei stata, Laura?» chiese mamma, alzando la testa. Poi accorse dicendo: «Santo cielo! Voltati, presto!» Cominciò a sbottonarle il vestito dietro la schiena. «Cosa è successo? Sei caduta nel ruscello?»

«Nossignora» disse Laura «ci… ci sono entrata apposta».

Mamma ascoltava mentre svestiva Laura e la strofinava con un asciugamano dalla testa ai piedi. Non disse una parola, nemmeno quando Laura ebbe raccontato tutto. Laura batteva i denti. Mamma le mise addosso una coperta e la fece sedere accanto al fornello.

Alla fine mamma disse: «Beh, Laura, ti sei comportata male e lo sapevi fin dall'inizio. Ma non posso punirti. Non posso nemmeno sgridarti. Hai rischiato di annegare».

Laura non disse nulla.

«Non ti avvicinerai più al ruscello senza che papà o io ti abbiamo dato il permesso, e di certo non prima che l'acqua sia scesa» disse mamma.

«Va bene» rispose Laura.

Il ruscello sarebbe sceso. Sarebbe tornato a essere un posto tranquillo e piacevole in cui giocare. Ma nessuno poteva forzarlo. Nessuno poteva obbligarlo a fare qualcosa. Ora Laura sapeva che c'erano cose più forti di qualunque persona. Ma il ruscello non l'aveva avuta vinta. Non l'aveva fatta urlare e non avrebbe potuto farla piangere.

La casa meravigliosa

Il ruscello era sceso. All'improvviso le giornate erano diventate più calde, e quasi ogni giorno papà andava a lavorare nel campo di grano con Sam e David, i cavalli di Natale.

«Ascolta» disse mamma «stai lavorando quella terra fino all'osso. Finirai con l'ammalarti».

Ma papà rispose che la terra era secca perché non c'era stata abbastanza neve. Doveva ararla in profondità e lavorarla bene con l'erpice, poi seminare in fretta il grano. Ogni giorno cominciava a lavorare prima che il sole sorgesse, e continuava finché non calava il buio. E al buio Laura aspettava di sentire Sam e David che guadavano il ruscello. Poi correva in casa a prendere la lanterna e andava in fretta verso la stalla, tenendola in mano perché papà vedesse ciò che doveva fare.

Era davvero troppo stanco per ridere o per parlare. Cenava e andava a letto.

Papà seminò il grano e l'avena. Poi Mamma, Mary e Laura lo aiutarono a piantare le patate in giardino e a spargere i semi nell'orto, e lasciarono credere a Carrie che anche lei stava dando una mano.

Il mondo intero era ricoperto di erba verde, ora. Le foglie giallo-verdi dei salici si stavano aprendo. Le conche in mezzo alla prateria erano piene di violette e ranuncoli. Le foglie di acetosa, simili a trifogli, e i fiori di lavanda si potevano mangiare, ed erano amari.

Solo il campo di grano era spoglio e scuro.

Una sera papà mostrò a Laura il campo marrone puntinato di verde. Il grano era spuntato! I germogli erano talmente minuscoli che li si vedeva a malapena, ma erano così tanti che formavano una specie di nebbiolina verde. Tutti erano felici, quella sera, perché il grano era in buone condizioni.

Il giorno seguente papà andò in città. Sam e David potevano andare e tornare in un pomeriggio. In casa, non fecero in tempo a sentire la mancanza di papà, e non lo stavano ancora aspettando, che era già rientrato. Laura sentì il rumore del carro e fu la prima a correre su per il sentiero.

Papà sedeva sul carro, il suo volto era radioso: c'erano delle tavole di legno impilate nel carro, alle sue spalle. Disse canticchiando: «Ecco la nostra nuova casa, Caroline!»

«Ma Charles!» mamma era senza fiato. Laura corse e si arrampicò sulla ruota del carro, poi sulla pila di tavole. Non aveva mai visto tavole così lisce, dritte e belle. Erano state tagliate con una macchina.

«Ma il grano è appena spuntato!» disse mamma.

«È tutto a posto» le disse papà «mi hanno dato il legno, lo pagheremo quando avremo venduto il grano».

Laura gli chiese: «Avremo una casa fatta di tavole di legno?»

«Sì, palpitacuore» disse papà «avremo una casa fatta completamente di tavole tagliate a macchina. E avrà le finestre di vetro!»

Era vero. Il giorno dopo il signor Nelson venne ad aiutare papà e cominciarono a scavare le fondamenta. Grazie al grano che stava crescendo avrebbero avuto una casa meravigliosa.

Laura e Mary non riuscivano a stare in casa il tempo necessario a sbrigare le loro faccende. Ma mamma le fece rimanere.

«Non voglio che facciate i lavori in modo sbrigativo» spiegò. Così lavarono tutti i piatti della colazione e li misero a posto. Fecero i loro letti con cura. Spazzarono il pavimento con la scopa di salice e la rimisero al suo posto. Quindi poterono andare.

Corsero giù per le scale, sulla passerella, sotto i salici, poi su nella prateria. Attraversarono l'erba alta e salirono in cima a una collinetta verde, dove papà e il signor Nelson stavano costruendo la nuova casa.

Era divertente guardarli mentre costruivano la struttura della casa. Le travi stavano su, slanciate e nuove di zecca e, tra l'una e l'altra, il cielo era di un blu intenso. Il rumore dei martelli metteva allegria. Le pialle tagliavano riccioli di legno profumato.

Laura e Mary si appesero dei trucioli alle orecchie, come orecchini, e intorno al collo a mo' di collane. Laura se li infilò nei capelli facendoli scendere giù come lunghi riccioli dorati: proprio il colore che aveva sempre desiderato per i suoi capelli.

Sopra alla struttura della casa, papà e il signor Nelson lavoravano con sega e martello. Piccoli pezzi di legno cadevano giù e Laura e Mary li raccoglievano per costruire delle casette. Non si erano mai divertite tanto.

Papà e il signor Nelson ricoprirono la struttura inchiodandoci sopra le tavole sovrapposte. Ricoprirono il tetto con le listarelle che avevano comprato, sottili e tutte della stessa misura: con la sua ascia papà non avrebbe potuto farle così bene. Formavano un tetto liscio e solido, senza nemmeno una crepa.

Poi papà posò il pavimento, fatto di tavole lisce come seta. Queste avevano delle scanalature lungo i bordi che permettevano di incastrarle perfettamente. Costruì un pavimento sopraelevato per il piano di sopra, che faceva da soffitto per il piano di sotto.

Al piano di sotto, papà costruì una parete divisoria: quella casa avrebbe avuto due stanze! Una era la camera da letto, l'altra era il

soggiorno. In quella stanza costruì finestre con vetri lucidi e traspa-
renti: una rivolta verso l'alba e l'altra vicino alla porta, verso Sud.
Anche sulle pareti della camera da letto mise due finestre di vetro.

Laura non aveva mai visto finestre così belle. Erano divise in
due. In ciascuna metà c'erano sei vetri, e la metà inferiore poteva
essere sollevata e lasciata aperta mettendoci sotto un bastoncino.

Di fronte alla porta d'ingresso papà mise una porta di servizio, e
all'esterno costruì una piccola stanza. Era uno sgabuzzino appoggiato alla casa. Avrebbe tenuto alla larga i venti freddi del Nord
durante l'inverno, ed era un posto in cui mamma poteva tenere la
scopa, lo straccio e il catino.

Il signor Nelson non c'era più e Laura continuava a fare domande. Papà disse che la camera da letto era per lui, mamma e Carrie,
mentre Mary e Laura avrebbero dormito e giocato nella soffitta.
Laura desiderava così tanto vederla che papà smise di lavorare allo
sgabuzzino e inchiodò delle piccole assi di legno sul muro per fare
la scala della soffitta.

Laura saltò velocemente sulla scala e salì finché la sua testa non
spuntò dal buco nel pavimento di sopra. Il solaio era grande quanto le due stanze del piano di sotto. Il pavimento era fatto di tavole
lisce. Il soffitto inclinato era il rovescio delle listarelle gialle, nuove
di zecca, che formavano il tetto. C'erano due piccole finestre alle
estremità della soffitta, e anche quelle erano di vetro!

All'inizio Mary aveva paura di scendere dalla scala della soffitta. Poi aveva paura di calarsi giù dal buco per usare la scala. Anche
Laura aveva paura, ma fece finta di niente. E presto entrambe si
abituarono ad andare su e giù per la scala. Pensavano che, a quel
punto, la casa fosse finita. Ma papà ricoprì tutte le pareti esterne
con la carta catramata, poi inchiodò altre tavole sulla carta. Erano
tavole lunghe e lisce, che si sovrapponevano una all'altra lungo i

lati della casa. Poi, intorno alle porte e alle finestre, papà fissò delle cornici piatte.

«Questa casa è chiusa ermeticamente» disse.

Non c'era una singola fessura, nel tetto, nelle pareti o nel pavimento, che potesse lasciar passare la pioggia o il vento freddo.

Poi papà montò le porte che aveva comprato. Erano lisce e molto più sottili di quelle che aveva fatto da sé tagliando il legno con l'ascia. Al loro interno, sopra e sotto la parte centrale, c'erano dei pannelli. Papà aveva comprato anche i cardini, ed era meraviglioso vederli quando si aprivano e si chiudevano. Non cigolavano come quelli di legno e non lasciavano penzolare la porta come quelli di pelle.

Infine papà montò sulle porte le serrature che aveva acquistato, con chiavi che si infilavano in piccoli fori sagomati, giravano e scattavano. Le porte avevano maniglie di porcellana bianca.

Poi un giorno papà disse: «Laura e Mary, siete in grado di mantenere un segreto?»

«Oh, sì, papà» risposero.

«Promettete di non dirlo a mamma?» chiese, e loro promisero.

Aprì la porta del ripostiglio. Lì c'era una stufa, nera e lucida. Papà l'aveva comprata in città e l'aveva nascosta per fare una sorpresa a mamma.

Nella parte superiore il forno aveva quattro fori circolari e quattro coperchi su misura.

Ciascun coperchio aveva un foro, e c'era una maniglia di ferro che si inseriva nei fori per poter sollevare il coperchio. Sul davanti c'era una porta lunga e bassa. Aveva delle fessure, e un pezzo di ferro che scivolava avanti e indietro per aprirle e chiuderle. Era la valvola di tiraggio. Sotto, sporgeva una specie di lungo vassoio, che serviva a raccogliere la cenere, evitando che cadesse sul pavi-

74

mento. Sopra il vassoio c'era un coperchio con delle file di lettere in rilievo.

Mary mise il dito sull'ultima riga e scandì: «P A T T O. Uno sette sette zero».

Chiese: «Cosa vuol dire, Pa?»

«Si legge "patto"» disse papà.

Laura aprì il grande sportello sul lato del forno e guardò all'interno di un grande spazio squadrato con un ripiano in mezzo: «Oh, Pa, a cosa serve?» gli chiese.

«È il forno» le disse lui.

Sollevò quella meravigliosa stufa, la mise nel soggiorno e montò il tubo. Un pezzo dopo l'altro, il tubo saliva su attraversando il soffitto e il solaio, per uscire da un buco nel tetto. Poi papà salì sul tetto e fissò un tubo di metallo più grande sulla canna fumaria. Il fondo di quest'ultimo era pieno e andava a coprire il buco nel tetto. Nemmeno una goccia di pioggia sarebbe potuta entrare nella nuova casa attraverso il tubo.

Era un camino della prateria.

«Ecco fatto» disse papà «c'è persino un camino».

Non c'era nient'altro che si potesse aggiungere, in una casa. Le finestre di vetro rendevano l'interno così luminoso che quasi non sembrava di essere in una casa. Profumava di pulito e di pino, per via delle nuove tavole gialle sulle pareti e sul pavimento. Il forno troneggiava maestoso nell'angolo vicino alla porta del ripostiglio. Un tocco sulla maniglia di porcellana faceva ruotare la porta sui cardini. La linguetta di ferro scattava e manteneva la porta chiusa.

«Ci entreremo domattina» disse papà. «Oggi sarà l'ultima volta che dormiamo nella casa sotto terra».

Laura e Mary gli diedero la mano e scesero giù per la collinetta. Il campo di grano, di un verde brillante e vellutato, si increspava lungo una curva nella prateria. I bordi erano dritti e gli angoli squadrati, e tutto intorno l'erba della prateria sembrava di un verde più scuro e più intenso.

Laura si voltò a guardare la loro meravigliosa casa. Nella luce della collina, le pareti di legno liscio sembravano dorate come un mucchio di paglia.

Nella casa nuova

Nel mattino assolato mamma e Laura aiutarono papà a portare le loro cose dal rifugio sotterraneo fino alla riva del ruscello, e poi nel carro. Laura non osava guardare papà per non lasciarsi sfuggire il segreto della sorpresa per mamma.

Lei non sospettava nulla. Aveva tolto la cenere ancora calda dal vecchio fornello in modo che papà potesse trasportarlo, e gli aveva chiesto: «Ti sei ricordato di prendere le prolunghe per il tubo della stufa?»

«Sì, Caroline» aveva risposto papà. Laura non rise, ma si schiarì la gola.

«Santo cielo, Laura» disse mamma «hai ingoiato una rana?»

David e Sam trainarono il carro attraversando il guado e poi di nuovo nella prateria, fino alla nuova casa. Mamma, Mary e Laura attraversarono la passerella e salirono lungo il sentiero erboso con le braccia cariche di roba, mentre Carrie sgambettava davanti a loro. La casa di tavole di legno con il suo tetto di listarelle brillava sulla collina. Papà saltò giù dal carro e aspettò: voleva essere lì quando mamma avrebbe visto la stufa.

Mamma entrò in casa e subito si fermò. La sua bocca si aprì e si richiuse. Poi disse, piano: «Non ci posso credere!»

Laura e Mary gridavano e danzavano, e così fece anche Carrie, anche se non sapeva perché.

«È tua, Ma! È la tua nuova stufa!» urlarono «C'è un forno! E quattro coperchi, e una piccola maniglia!» e Mary disse: «Ci sono sopra delle lettere, e io so leggerle! P A T T O, "patto"!»

«Oh, Charles, non avresti dovuto!» disse mamma.

Papà l'abbracciò: «Non preoccuparti, Caroline»

«Non mi sono mai preoccupata» rispose mamma «ma costruire una casa del genere, e i vetri alle finestre, e una nuova stufa... è troppo»

«Niente è troppo per te» disse papà.

«E non preoccuparti per il prezzo. Basta guardare fuori, il campo di grano!»

Ma Laura e Mary la trascinarono verso la stufa. Sollevò i coperchi come Laura le aveva mostrato, osservò Mary azionare il tiraggio, poi guardò il forno.

«Non oso nemmeno provare a preparare il pranzo in un forno così grande, così bello!» Ma alla fine preparò il pranzo in quel grande, splendido forno. Mary e Laura apparecchiarono la tavola nella stanza spaziosa. Le finestre di vetro erano aperte, aria e sole entravano da ogni parte, e strisce di luce passavano dall'apertura della porta e dalla finestra splendente accanto ad essa.

Era così piacevole mangiare in quella grande casa ariosa e luminosa che dopo pranzo rimasero seduti a tavola, godendosi semplicemente il piacere di essere lì.

«Così sì che mi piace!» disse papà.

Poi appesero le tende. Le finestre di vetro devono avere delle tende, e mamma le aveva fatte con vecchie lenzuola inamidate e bianche come la neve. Le aveva bordate con larghe strisce di un bel calicò. Le tende della stanza grande erano bordate con strisce rosa prese dal vestito di Carrie che si era strappato quando i buoi erano scappati. Le tende della camera da letto erano bordate con strisce del vecchio vestito blu di Mary. Papà aveva comprato quel calicò rosa e blu in città, tanto tempo prima, nei Grandi Boschi.

Mentre papà piantava i chiodi per le cordicelle alle quali avrebbero appeso le tende, mamma tirò fuori due lunghe strisce di carta da pacco marrone che aveva conservato. Le piegò e mostrò a Mary e Laura come ritagliarne dei pezzettini con le forbici. Quando ciascuna aprì la sua carta piegata, si trovò tra le mani una fila di stelle.

Mamma sistemò queste ghirlande sulle mensole al di sopra della stufa. Le stelle penzolavano giù e la luce le attraversava.

Quando le tende furono sistemate, mamma appese due lenzuola bianche come la neve in un angolo della camera da letto, creando un angolino nel quale papà e mamma avrebbero potuto appendere i propri vestiti. Su in soffitta, mamma appese un altro lenzuolo dietro al quale Mary e Laura potevano sistemare i loro.

Quando mamma ebbe finito, la casa era stupenda. Le tende bianchissime erano legate ai lati delle finestre di vetro. Strisce di luce entravano in casa attraverso le tende bianchissime bordate di rosa. Le pareti erano tavole di legno pulite e profumate di pino fissate alla struttura della casa, e la scala saliva su in soffitta. Il forno e il tubo erano neri e lucidi, e nell'angolino c'erano gli scaffali stellati.

Mamma stese sul tavolo la tovaglia a quadretti rossi che usavano tra un pasto e l'altro, e sopra appoggiò la lampada splendente, la Bibbia foderata di carta, il grosso libro verde *Meraviglie del mondo animale* e il romanzo *Millbank*. Le due panche erano sistemate ordinatamente vicino alla tavola.

Come ultima cosa papà fissò la mensola sopra la finestra che dava sulla parte anteriore della casa, e mamma vi sistemò la pastorella di porcellana.

Era la mensola intagliata con stelle, grappoli d'uva e fiori che papà aveva fatto per mamma come regalo di Natale, tanto tempo prima. E la solita piccola pastorella con i capelli dorati, gli occhi azzurri e le guance rosa, il bustino di porcellana allacciato con nastrini di porcellana dorata, il grembiulino e le scarpine di porcellana. Aveva viaggiato dai Grandi Boschi alla terra degli Indiani, e poi fino al Plum Creek nel Minnesota, e ora se ne stava lì sorridente. Non si era rotta. Non aveva nemmeno un graffio. Era la solita piccola pastorella, con il suo solito sorriso.

Quella notte Mary e Laura salirono su per la scala e andarono a letto da sole nella loro grande, spaziosa soffitta. Non c'erano tende, perché mamma non aveva più vecchie lenzuola. Ma ciascuna aveva una cassetta per sedersi e una nella quale tenere i propri tesori. Charlotte e le bambole di carta vivevano nella cassettina di Laura; in quella di Mary c'erano i quadrati per il patchwork e il sacchetto con i ritagli di stoffa. Dietro la tenda ciascuna aveva un attaccapanni dal quale poteva togliere la camicia da notte per appendere il vestito. L'unico difetto di quella stanza era che Jack non poteva salire su per la scala.

Laura si addormentò subito. Aveva corso avanti e indietro dalla casa e su e giù per la scala per tutto il giorno. Ma non riuscì a dormire a lungo. La casa nuova era così silenziosa. Le mancava la ninna nanna che il ruscello le cantava mentre dormiva. Quel silenzio, invece, la svegliava di continuo.

Alla fine fu un suono a farle aprire gli occhi. Si mise in ascolto. Era il rumore di tanti, tanti piccoli piedi che camminavano sopra la sua testa. Sembrava che migliaia di animaletti scorrazzassero sul tetto. Cosa poteva mai essere?

Ebbene, erano gocce di pioggia! Laura non sentiva la pioggia battere sul tetto da così tanto tempo che ne aveva scordato il suono. Nella casa sotterranea non si sentiva la pioggia: c'era troppa terra sopra.

Felice, si riaddormentò, cullata dal ticchettio della pioggia sul tetto.

Il vecchio granchio e le sanguisughe

Quando Laura saltò giù dal letto, quella mattina, i suoi piedi scalzi atterrarono sul liscio pavimento di legno. Sentì il profumo di pino delle tavole. Sopra di lei c'era il tetto spiovente, con le listarelle di legno giallo chiaro e le travi che le tenevano su.

Dalla finestra a Est vide il piccolo sentiero che scendeva dalla collina erbosa. Vide un angolo del campo di grano, verde chiaro e vellutato e, più in là, l'avena grigio-verde.

Lontano, molto lontano, c'era il limitare della terra, grande e verde, e una striscia di luce del sole che faceva capolino. Il ruscello dei salici e il rifugio scavato nella terra sembravano lontani nel tempo e nello spazio.

All'improvviso la luce calda del sole le si riversò addosso, mentre era ancora in camicia da notte. Sul pavimento giallo e pulito i vetri delle finestre erano quadrati di luce. Le asticelle tra l'uno e l'altro erano ombre e la testa di Laura con la cuffia da notte, le trecce e le mani con le dita aperte e alzate erano un'ombra più scura e netta.

Al piano di sotto i coperchi sferragliavano sulla bella stufa nuova. La voce di mamma salì attraverso la botola dalla quale scendeva la scala: «Mary! Laura! È ora di alzarsi, bambine!»

Così un nuovo giorno cominciava nella nuova casa.

Ma mentre facevano colazione nella spaziosa stanza di sotto, Laura volle vedere il ruscello. Chiese a papà se poteva andarci a giocare.

«No, Laura» disse papà. «Non voglio che tu vada al ruscello, con quei buchi neri e profondi. Ma quando avete finito le vostre faccende, tu e Mary andrete sul sentiero che Nelson ha fatto al ritorno dal lavoro, e vedrete cosa c'è».

Si sbrigarono a finire le faccende e nel ripostiglio trovarono una scopa vera, comprata in un negozio! Le sorprese sembravano non finire mai, in quella casa.

La scopa aveva un manico lungo e dritto, perfettamente tondo e liscio. La spazzola era fatta di migliaia di setole rigide e sottili, di un verde giallognolo. Il fondo era perfettamente diritto e la parte superiore si incurvava a formare due solide spalle piatte. Le setole erano tenute insieme da una salda cucitura rossa. Questa scopa non somigliava affatto a quella tonda, di rami di salice, che aveva fatto papà. Sembrava troppo bella per essere usata. E scivolava a meraviglia sul pavimento liscio.

Ma Laura e Mary non vedevano l'ora di imboccare quel sentiero. Lavorarono velocemente, misero via la scopa e partirono. Laura aveva tanta fretta che camminò per qualche passo, poi si mise a correre. La cuffia le scivolò indietro rimanendo appesa attorno al collo, e i suoi piedi scalzi correvano lungo il sentiero, appena visibile tra l'erba, che scendeva dalla collina, attraversava un pezzo di terra piana, poi saliva leggermente. E lì c'era il ruscello!

Laura era stupefatta. Il ruscello sembrava così diverso, così calmo e assolato tra le rive basse ed erbose.

Il sentiero finiva all'ombra di un grande salice. Una passerella attraversava l'acqua e sull'altra riva l'erba era piatta e assolata. Poi il sentiero proseguiva fino a girare intorno a una collinetta, per poi scomparire alla vista.

Laura pensò che quel piccolo sentiero andasse avanti all'infinito in mezzo all'erba illuminata dal sole, circondando le colline per vedere cosa c'era dall'altra parte. Sapeva che in realtà portava a casa del signor Nelson, ma le piaceva immaginare che continuasse all'infinito.

Il ruscello sbucava da un boschetto di susini. Gli alberi bassi crescevano da entrambi i lati, e i loro rami quasi si toccavano al di sopra di esso. La loro ombra rendeva l'acqua scura.

Poi proseguiva e correva, basso e largo, increspandosi e schizzando sopra la sabbia e la ghiaia. Si allargava per scivolare sotto la passerella e correva gorgogliando per poi fermarsi in un ampio laghetto che, come uno specchio, rifletteva un gruppo di salici.

Laura aspettò che arrivasse Mary. Poi camminarono nell'acqua bassa, con la sabbia e le pietre luccicanti. Piccoli pesciolini nuotavano in gruppo intorno ai loro piedi. Quando stavano ferme, i pesciolini le mordicchiavano.

All'improvviso Laura vide una strana creatura nell'acqua.

Era lunga quasi quanto il suo piede, lucida e di un verde-marrone. Sul davanti aveva due grandi braccia che terminavano in grosse, piatte tenaglie. Sui fianchi aveva piccole zampe e la coda robusta, piatta e squamosa, terminava in una sottile pinna biforcuta. Aveva occhi tondi e sporgenti e setole che le uscivano dal naso.

«Che cos'è?» urlò Mary, spaventata.

Laura non si avvicinò. Si chinò con cautela per guardare l'animale, che però era già sparito. Si era voltato, più veloce di un insetto acquatico, e ora una nuvoletta di acqua fangosa usciva dalla roccia sotto la quale si era infilato.

In un attimo tirò fuori una chela e la fece schioccare. Poi si guardò intorno.

Quando Laura gli si avvicinò, si nascose, camminando all'indietro sotto la roccia. Ma quando lei spruzzò dell'acqua sulla pietra, uscì di corsa schioccando le chele e cercando di afferrarle le dita dei piedi. Allora Laura e Mary scapparono via, urlando e schizzando, lontano dal suo rifugio.

Poi tornarono a stuzzicarlo con un bastoncino, che l'animale spezzò in due con le sue grosse chele. Presero allora un bastone più grande e quello ci si aggrappò con la sua pinza. Non lo lasciò finché Laura non l'ebbe tirato fuori dall'acqua. Aveva lo sguardo furioso e la coda arricciata, mentre continuava ad aprire e chiudere l'altra chela. Poi mollò la presa, cadde e tornò a infilarsi sotto il suo sasso.

Ogni volta che gettavano acqua sulla roccia, lui usciva nuovamente, furioso. E ogni volta loro fuggivano urlando, lontano dalle sue pinze spaventose.

Laura e Mary sedettero per un attimo sulla passerella, all'ombra del grande salice. Ascoltarono il suono dell'acqua che scorreva e la guardarono scintillare. Poi attraversarono nuovamente il ruscello, fino al boschetto di susini.

Mary non voleva entrare nell'acqua scura sotto i susini. Il fondo era fangoso e non le piaceva camminare nel fango. Così sedette sulla riva, mentre Laura attraversava il boschetto.

L'acqua era sempre lì, con le foglie secche che galleggiavano vicino alla riva. Le dita dei piedi di Laura sguazzavano nel fango, che si sollevava come una nuvola impedendole di vedere il fondo. L'aria puzzava di vecchio e di stantio. Così Laura si voltò e tornò indietro, al sole e nell'acqua pulita.

Sembrava che alcune bolle di fango le fossero rimaste sulle gambe e sui piedi. Laura ci buttò sopra un po' d'acqua pulita per sciacquarle via, ma non se ne andarono. Provò con le mani ma non riuscì a toglierle.

Erano del colore del fango ed erano molli come il fango, ma restavano appiccicate alla pelle.

Laura urlò: «Oh, Mary, Mary! Vieni! Presto!»

Mary arrivò ma non volle toccare quelle cose orribili. Disse che erano vermi. A vederli, si sentiva male. Laura si sentì ancora peggio, ma era più disgustoso avere quei vermi addosso che toccarli, così ne prese uno, lo afferrò con le unghie e lo tirò via.

Quella cosa divenne lunga, sempre più lunga, ancora più lunga, ma rimase attaccata.

«Oh, no, non farlo! Non farlo! Lo spezzerai in due!» disse Mary.

Ma Laura tirò ancora, finché non riuscì a staccarlo. Dal punto in cui era attaccato le colava del sangue lungo la gamba. E un piccolo rivolo di sangue uscì da ciascuno dei vermi staccati.

Laura non aveva più voglia di giocare.

Si sciacquò le mani e le gambe nell'acqua fresca e tornò a casa con Mary.

Era ora di cena e papà era rientrato. Laura gli raccontò di quelle cose marroni senza occhi, né testa né gambe, che le si erano attaccate addosso al ruscello.

Papà disse che erano mignatte e che i dottori le attaccavano addosso alle persone malate. Poi le chiamò sanguisughe. Disse che vivevano nel fango, al buio, nei punti in cui l'acqua era stagnante.

«Non mi piacciono» disse Laura.

«Allora stai lontana dal fango, palpitacuore» disse papà. «Se non vuoi avere problemi, non andarteli a cercare».

Mamma disse: «Beh, bambine, in ogni caso non avrete molto tempo per giocare al ruscello. Ora siamo sistemati per bene e a soli quattro chilometri dalla città, quindi potrete andare a scuola».

Laura non disse una parola, e nemmeno Mary. Si guardarono e pensarono: "A scuola?"

La trappola per i pesci

Più le parlavano della scuola, meno Laura aveva voglia di andarci. Non riusciva a immaginare di poter restare lontana dal ruscello per tutta la giornata. Chiese: «Oh, Ma, devo proprio?»

Mamma disse che una bambina di quasi otto anni avrebbe dovuto imparare a leggere, invece di starsene tutto il giorno lungo le rive del ruscello.

«Ma io so leggere, Ma» disse Laura in tono supplichevole «per favore, non mandarmi a scuola. So leggere, ascolta!»

Prese il libro intitolato *Millbank*, lo aprì e, guardando mamma con aria ansiosa, lesse: «Le porte e le finestre di *Millbank* erano chiuse. Un pezzo di tessuto penzolava dalla maniglia della porta...»

«Oh, Laura» disse mamma «non stai leggendo! Stai solo recitando a memoria quello che mi hai sentito leggere a papà tante volte. E poi ci sono un sacco di altre cose da imparare: l'ortografia, la scrittura, l'aritmetica. Non aggiungere nulla. Comincerai la scuola con Mary lunedì mattina».

Mary se ne stava seduta a cucire, come una brava bambina che aveva voglia di andare a scuola.

Appena fuori dal ripostiglio, papà stava colpendo qualcosa col martello. Laura saltò fuori così all'improvviso che il martello rischiò di colpirla.

«Oh!» disse papà «Stavo per colpirti stavolta. Avrei dovuto aspettarmelo, palpitacuore. Sei sempre tra i piedi»

«Cosa stai facendo, Pa?» chiese Laura. Stava inchiodando alcune tavole di legno avanzate dalla costruzione della casa.

«Una trappola per i pesci» rispose papà. «Vuoi darmi una mano? Puoi passarmi i chiodi».

Laura gli passò i chiodi uno alla volta e papà li piantò. Stavano facendo una stia. Era una specie di gabbia lunga e larga, senza coperchio. Papà aveva lasciato delle larghe fessure tra le tavole di legno: «Come fa a catturare i pesci?» chiese Laura «Se la metti nel ruscello, i pesci entreranno dalle fessure, e poi ne usciranno di nuovo»

«Vedrai» disse papà.

Laura aspettò. Papà mise via i chiodi e il martello, poi si caricò la trappola sulle spalle e disse: «Puoi venire ad aiutarmi a sistemarla».

Laura gli prese la mano e saltellò al suo fianco giù per la collina e attraverso la pianura che conduceva al ruscello. Camminarono lungo la riva bassa e attraversarono i susini. Le sponde del ruscello erano più ripide laggiù, il suo letto era più largo e il rumore più forte. Papà scese attraversando i cespugli e Laura lo seguì. Lì c'era una cascata.

L'acqua scorreva rapida e piatta fino al bordo, poi precipitava giù con un gran frastuono. Dal fondo tornava a salire, roteava, saltava e poi scivolava via.

Laura sarebbe rimasta lì a guardare all'infinito, ma doveva aiutare papà a sistemare la trappola per i pesci. La misero proprio ai piedi della cascata. Tutta la cascata finiva nella trappola e sembrava ribollire al suo interno. Non poteva saltare fuori dalla trappola. Usciva schiumando dalle fessure.

«Ora capisci» disse papà. «I pesci verranno giù dalla cascata e finiranno nella trappola. Quelli piccoli usciranno dalle fessure ma quelli grandi non potranno. Non possono tornare su per la cascata, quindi dovranno rimanere qui a nuotare nella trappola finché non verrò io a tirarli fuori».

Proprio in quell'istante un grosso pesce scivolo giù per la cascata. Laura urlò: «Guarda, Pa, guarda!»

Papà immerse le mani nell'acqua, afferrò il pesce che si dimenava e lo sollevò. Per poco Laura non cadde nella cascata. Guardarono quel pesce argentato, poi papà lo rimise nella trappola:

«Oh, Pa, per favore, possiamo stare qui e prendere dei pesci per cena?» chiese Laura.

«Devo andare a costruire il fienile, Laura» disse papà. «Poi arare il campo, scavare un pozzo e...» Guardò Laura e aggiunse: «Va bene, scricciolo, magari rimaniamo ancora un po'».

Si chinarono entrambi e aspettarono. Il ruscello si tuffava e spruzzava, sempre uguale e sempre diverso. Scintille di sole danzavano in superficie. Sprigionava aria fresca, mentre il sole scaldava la schiena di Laura. Le foglioline dei cespugli sopra di loro sembravano attaccate al cielo. Il loro profumo era dolce e caldo sotto il sole.

«Oh, Pa» disse Laura «devo proprio andare a scuola?»

«La scuola ti piacerà, Laura» rispose papà.

«Preferisco stare qui» si lagnò Laura.

«Lo so, scricciolo, ma non tutti hanno la possibilità di imparare a leggere, a scrivere e a far di conto. Mamma faceva la maestra quando l'ho incontrata, e quando ha accettato di seguirmi qui, le ho promesso che le nostre figlie avrebbero avuto un'istruzione. Ecco perché ci siamo stabiliti vicino a una città con una scuola. Hai quasi otto anni adesso, e Mary sta per compierne nove: è ora di cominciare. Dovresti essere felice di avere questa possibilità, Laura»

«Sì, Pa» sospirò Laura. In quel momento un altro grosso pesce venne giù dalla cascata. Prima che papà potesse afferrarlo ne era già arrivato un altro!

Papà tagliò un ramo biforcuto e gli tolse la corteccia. Prese quattro grossi pesci dalla trappola e ce li appese. Laura e papà tornarono a casa trasportando quei pesci che si dimenavano. Mamma restò a bocca aperta quando li vide. Papà tagliò loro la testa, sfilò via le interiora e mostrò a Laura come squamare un pesce. Lui ne squamò tre e lei ne squamò uno, quasi tutto da sola.

Mamma li rotolò nella farina e li fece friggere, e quella fu la loro cena.

«Inventi sempre qualcosa, Charles» disse mamma. «Mi stavo proprio chiedendo cosa avremmo mangiato, ora che è primavera». Papà non poteva andare a caccia in primavera, perché in quel periodo i conigli avevano dei coniglietti, e gli uccelli degli uccellini nei loro nidi.

«Vedrai, quando avrò raccolto il grano!» disse papà «Allora mangeremo carne salata di maiale tutti i giorni, anche per il sugo. E carne fresca di bovino!»

Da quel giorno ogni mattina, prima di andare a lavorare, papà portava a casa i pesci catturati con la trappola. Non ne prendeva mai più del necessario. Gli altri li tirava fuori e li lasciava liberi.

Portò pesci bufalo e lucci americani, pesci gatto e carpe dorate, e pesci gatto neri con grandi baffi scuri. Ne prese alcuni di cui non conosceva il nome. Ogni giorno c'era pesce per colazione, pesce per pranzo e pesce per cena.

A scuola

Arrivò il lunedì mattina. Non appena Mary e Laura ebbero lavato i piatti della colazione, salirono su per la scala e indossarono il vestito della domenica. Quello di Mary era di un calicò blu stampato, quello di Laura aveva una fantasia sul rosso.

Mamma intrecciò i loro capelli ben stretti e li legò in fondo con un filo. Non potevano indossare i nastri per capelli della domenica, perché avrebbero rischiato di perderli. Si misero le cuffie, pulite e stirate.

Poi mamma le portò in camera da letto. Si inginocchiò vicino alla scatola nella quale teneva le sue cose più preziose e ne estrasse tre libri. Erano i libri che aveva studiato da bambina. Uno era di ortografia, uno di lettura e uno di aritmetica.

Guardò solennemente Mary e Laura: anche loro avevano un'aria seria.

«Vi regalo questi libri, sono per voi, Mary e Laura» disse mamma «so che li tratterete con cura e che li studierete con impegno»

«Sì, Ma» risposero.

Diede i libri a Mary perché li portasse. Diede a Laura il piccolo recipiente di latta con dentro il pranzo, coperto da uno strofinaccio pulito.

«Ciao» disse «fate le brave».

Mamma e Carrie rimasero sulla porta e Jack scese con loro giù per la collina. Era perplesso. Proseguirono attraversando l'erba, lungo le tracce del carro di papà, e Jack rimase accanto a Laura.

Quando arrivarono al guado del torrente, il cane si sedette e gemette ansioso. Laura dovette spiegargli che non poteva proseguire oltre. Gli accarezzò la grossa testa tentando di lisciare le pieghe che gli corrugavano il muso. Ma lui sedette accigliato a guardarle mentre attraversavano il guado.

Mary e Laura attraversarono con cautela, senza bagnare i vestiti puliti. Un airone blu si levò in volo, sbattendo le ali e lasciando dondolare le lunghe zampe. Avanzarono nell'erba facendo molta attenzione a non camminare nelle tracce polverose del carro finché i loro piedi non fossero stati asciutti: volevano arrivare in città con i piedi puliti.

La nuova casa sembrava così piccola in cima alla collina, con la grande, verde prateria che si estendeva tutto intorno. Mamma e Carrie erano rientrate. Solo Jack rimaneva a guardare, vicino al punto in cui avevano attraversato il ruscello.

Mary e Laura camminavano in silenzio.

La rugiada brillava sull'erba. Le allodole cantavano. I beccaccini camminavano sulle loro lunghe zampe sottili. Le galline della prateria chiocciavano e i loro piccoli pulcini pigolavano. I conigli stavano ritti con le zampe penzoloni, agitando le lunghe orecchie e fissando Mary e Laura con i loro occhi tondi.

Papà aveva detto che la città era a soli quattro chilometri, e che ci sarebbero arrivate seguendo la strada. Avrebbero capito di essere in città quando avessero visto una casa.

Grosse nuvole bianche solcavano il cielo immenso e le loro ombre grigie si trascinavano attraverso l'erba ondeggiante della prateria. La strada, formata dalle tracce del carro di papà nell'erba, sembrava sempre finire poco più in là, ma quando arrivavano in quel punto, proseguiva.

«Per carità, Laura» disse Mary «tieni la cuffia in testa, o diventerai scura come un indiano... cosa penseranno le ragazze di città?»

«Non m'importa!» disse Laura coraggiosamente, a voce alta.

«Sì che ti importa» disse Mary.

«Invece no!»

«Sì»

«No!»

«Lo so che hai paura della città, proprio come me» disse Mary.

Laura non rispose. Dopo un po' tirò i lacci della cuffia e se la mise in testa.

«Comunque siamo insieme» disse Mary.

Proseguirono ancora e ancora. Dopo un bel po' di tempo videro la città. Sembrava un insieme di piccoli pezzi di legno appoggiati sulla prateria. Quando la strada scendeva, non vedevano altro che il cielo e la prateria. Poi vedevano di nuovo la città, sempre più grande. Il fumo usciva dai camini.

La strada erbosa e pulita finiva in mezzo alla polvere. Questa strada polverosa passava vicino a una casetta, poi davanti a un negozio. Il negozio aveva un portico e dei gradini davanti all'ingresso.

Dopo il negozio c'era un fabbro. La sua bottega era un po' arretrata rispetto alla strada e aveva uno spiazzo davanti. All'interno un uomo grande e grosso con un grembiule di pelle soffiava rumorosamente sui carboni ardenti. Con una pinza estrasse dalle braci un pezzo di ferro e lo colpì con il martello. *Bam!* Decine di scintille saltarono fuori.

Oltre lo spiazzo c'era il retro di un palazzo. Mary e Laura lo costeggiarono. Il terreno era duro e non c'era più erba sotto i loro piedi.

Di fronte a quel palazzo un'altra strada larga e polverosa incrociava la loro. Mary e Laura si fermarono. Guardarono, attraverso la polvere, la facciata di altri due negozi. Sentirono un rumore confuso di voci di bambini. La strada di papà finiva lì.

«Andiamo» disse Mary sottovoce, ma rimaneva ferma. «Le voci vengono dalla scuola. Pa ha detto che le avremmo sentite».

Laura avrebbe voluto voltarsi e tornare a casa di corsa.

Lei e Mary camminarono lentamente nella polvere, dirigendosi verso il suono di quelle voci. Superarono i due negozi, poi delle pile di tavole e di ciottoli. Doveva essere il posto in cui papà aveva preso il legname per la nuova casa. Poi videro la scuola.

Era oltre la fine della strada polverosa. Ci si arrivava passando per un lungo sentiero nell'erba. C'erano bambini e bambine davanti all'ingresso.

Laura andò verso di loro seguendo il sentiero e Mary rimase dietro di lei. Tutti i bambini e le bambine rimasero in silenzio a guardarle. Laura si avvicinava sempre di più a tutti quegli occhi e, senza sapere il perché, agitò il contenitore di latta e disse: «Sembravate tante galline della prateria!»

I bambini erano sorpresi, ma Laura lo era ancor di più. Era spaventata. Mary rimase senza fiato: «Laura!»

Poi un ragazzino con le lentiggini e i capelli color del fuoco urlò: «E voi dei beccaccini! Beccaccini, beccaccini! Beccaccini dalle zampe lunghe!»

Laura avrebbe voluto sprofondare e nascondersi le gambe. Il suo vestito era troppo corto, molto più corto di quelli delle bambine di città. E così era quello di Mary. Prima che arrivassero al Plum Creek, mamma aveva detto che quei vestiti stavano diventando troppo piccoli.

Le loro gambe nude sembravano lunghe e sottili, come quelle dei beccaccini.

I ragazzini le indicavano e urlavano: «Beccaccini! Beccaccini!»

Poi una bambina dai capelli rossi cominciò a spintonarli dicendo: «State zitti! Fate troppo rumore! Sta' zitto, Sandy!» disse al bambino dai capelli rossi, e lui tacque. La bambina si avvicinò a Laura e disse: «Mi chiamo Christy Kennedy e quel bambino orribile è mio fratello Sandy, ma non preoccupatevi, è innocuo. Come vi chiamate?»

I suoi capelli rossi erano intrecciati così stretti che le trecce erano rigide. I suoi occhi erano blu scuro, quasi neri, e le guance tonde erano ricoperte di lentiggini. Aveva la cuffia appesa dietro la schiena.

«È tua sorella?» disse. «Quelle sono le mie sorelle».

Alcune ragazze più grandi stavano parlando con Mary. «Quella grande è Nettie, quella con i capelli neri è Cassie. Poi c'è Donald, poi io e Sandy. Quanti fratelli e sorelle hai?»

«Due» disse Laura. «Quella è Mary e ho una sorellina che si chiama Carrie. Anche lei ha i capelli biondi. Poi abbiamo un bulldog che si chiama Jack. Viviamo sul Plum Creek. E voi, dove abitate?»

«Tuo padre ha due cavalli marroni con le code e le criniere nere?» chiese Christy.

«Sì» rispose Laura «sono Sam e David, i nostri cavalli di Natale»

«Passa davanti a casa nostra. Quindi anche voi ci siete passate» disse Christy. «È la casa prima del negozio del signor Beadle e dell'ufficio postale. La signorina Eva Beadle è la nostra maestra, e quella è Nellie Oleson».

Nellie Oleson era molto bella. I suoi capelli scendevano in lunghi riccioli, con due grandi nastri blu annodati sopra. Il suo vestito era di leggera batista bianca a fiorellini blu, e indossava delle scarpe.

Guardò Laura, poi guardò Mary, e arricciò il naso:

«*Mmm*» disse «ragazze di campagna!»

Prima che qualcuno potesse aggiungere altro, la campanella suonò. Una giovane donna stava in piedi all'ingresso della scuola, agitando la campanella che teneva in mano.

Tutti i bambini e le bambine si sbrigarono a entrare.

Era una donna giovane e bella. Aveva una frangia di ricci scuri e i capelli raccolti in grosse trecce. I bottoni brillavano sul davanti del suo corpetto e la sua gonna scendeva in grossi sbuffi e balze. Il viso era dolce e aveva un adorabile sorriso.

Mise una mano sulla spalla di Laura e disse: «Sei nuova, vero?»

«Sì, signora» disse Laura.

«E questa è tua sorella?» chiese la maestra, sorridendo a Mary.

«Sì, signora» disse Mary.

«Allora venite con me» disse «scriverò i vostri nomi nel mio registro».

Andarono con lei in fondo alla classe e salirono sulla pedana. La classe era una stanza fatta di assi di legno nuove. Il soffitto era il rovescio delle listarelle del tetto, come quello della loro soffitta. Lunghe panche erano disposte una accanto all'altra in mezzo alla stanza. Erano fatte di tavole levigate. Ogni panca aveva uno schienale, al quale erano fissati due ripiani che sporgevano sulla panca posteriore.

Solo la prima panca non aveva i ripiani davanti, mentre l'ultima non li aveva dietro.

C'erano due finestre di vetro sui due lati dell'aula. Erano aperte. Anche la porta era aperta. Entrava il vento, e il fruscio dell'erba, e il profumo, e la vista della sconfinata prateria, e la grande luce del cielo.

Laura vide tutto questo mentre era con Mary vicino alla cattedra della maestra. Le dissero come si chiamavano e quanti anni avevano. Lei non mosse la testa, ma i suoi occhi si guardavano intorno.

Un secchio d'acqua era appoggiato su una panca vicino alla porta. Una scopa era riposta in un angolo. Sul muro dietro la cattedra c'era uno spazio liscio fatto di tavole dipinte di nero. Sotto c'era una vaschetta con dentro dei bastoncini bianchi e un pezzo di legno con della pelliccia di pecora arrotolata e inchiodata intorno. Laura si chiedeva cosa fossero quegli oggetti.

Mary mostrò alla maestra come sapeva leggere e compitare. Ma Laura guardò il libro di mamma e scosse la testa. Non sapeva leggere. Non era nemmeno sicura di conoscere tutte le lettere.

«Bene, puoi cominciare dall'inizio, Laura» disse la maestra «e Mary potrà andare avanti. Avete una lavagna?»

Non ne avevano.

«Vi presterò la mia» disse la maestra «non potete imparare a scrivere senza una lavagna». Sollevò la parte superiore della cattedra e ne estrasse la lavagna. La cattedra era come una grossa scatola, con un lato tagliato per poterci infilare le ginocchia. La parte superiore si alzava ruotando su due cardini, e all'interno c'era uno spazio nel quale la maestra teneva le sue cose. C'erano i libri e un righello.

Laura non sapeva ancora che il righello serviva a punire chi disturbava o chiacchierava in classe. Chi si comportava male doveva alzarsi, avvicinarsi alla cattedra e tendere la mano mentre lei la colpiva più volte, duramente, con il righello.

Ma Laura e Mary non parlavano mai a scuola, e cercavano sempre di non disturbare. Sedevano una accanto all'altra su una panca e studiavano. I piedi di Mary poggiavano a terra. Quelli di Laura, invece, penzolavano. Tenevano il libro aperto sul ripiano davanti a loro. Laura studiava la parte iniziale del libro, e Mary quella un po' più avanzata. Le pagine centrali rimanevano sollevate.

Laura, da sola, formava una classe, perché era l'unica che non sapeva ancora leggere. Quando aveva tempo la maestra la chiamava alla cattedra e l'aiutava a leggere le lettere. Quel primo giorno, prima di pranzo, Laura aveva imparato a leggere G A T T O, gatto. All'improvviso si ricordò e ripeté: «P A T T O, patto!»

La maestra fu sorpresa.

«R A T T O, ratto!» disse la maestra «M A T T O, matto!»

Laura stava leggendo. Riusciva a leggere tutta la prima riga del libro di lettura.

A mezzogiorno tutti gli altri bambini e la maestra tornarono a casa per pranzo. Laura e Mary presero il loro pranzo dal contenitore e sedettero nell'erba all'ombra della scuola. Mangiarono pane e burro e chiacchierarono.

«Mi piace la scuola» disse Mary

«Anche a me» disse Laura «anche se mi fa stancare le gambe. Ma non mi piace quella Nellie Oleson, che ci ha chiamate ragazze di campagna»

«Siamo ragazze di campagna» disse Mary.

«Sì, ma non c'è bisogno di arricciare il naso!» concluse Laura.

Nellie Oleson

Jack le aspettava al guado, quella sera, e a cena raccontarono della scuola a papà e mamma. Quando dissero che stavano utilizzando la lavagna della maestra, papà scosse la testa. Non voleva sentirsi in debito per il prestito della lavagna.

La mattina dopo tirò fuori i soldi che teneva nella scatola del violino e li contò, poi diede a Mary una moneta d'argento per comprare una lavagna.

«C'è un sacco di pesce nel ruscello» disse «ce la caveremo fino al momento del raccolto»

«Tra poco ci saranno anche le patate» disse mamma. Mise la moneta dentro un fazzoletto e lo fissò con una spilla nella tasca di Mary.

Mary tenne stretta la tasca per tutta la strada attraverso la prateria. Il vento soffiava. Uccelli e farfalle volavano sull'erba ondeggiante e sui fiori di campo. I conigli balzavano nel vento e il grande cielo limpido si curvava sopra di loro. Laura saltellava facendo roteare il recipiente del pranzo.

In città incrociarono la polverosa strada principale e salirono i gradini del negozio del signor Oleson, dove papà aveva detto di comprare la lavagna.

All'interno del negozio c'era un lungo bancone di legno. Il muro dietro al bancone era ricoperto di scaffali pieni di pentole, barattoli, lampade, lanterne e rotoli di tessuto colorato. Vicino all'altro muro c'erano aratri, scatole di chiodi e rotoli di corda, e sul muro erano appese seghe, martelli, accette e coltelli.

Sul bancone c'era un grande formaggio tondo e giallo e sul pavimento davanti un barile di melassa e un bariletto di sottaceti, una grossa scatola di legno piena di gallette e due alti contenitori di legno pieni di caramelle. Erano le caramelle di Natale. Due grossi secchi colmi.

La porta sul retro del negozio si aprì all'improvviso e Nellie Oleson e il suo fratellino Willie entrarono saltellando. Il naso di Nellie si arricciò quando vide Laura e Mary e Willie le prese in giro: «Ah, i beccaccini dalle zampe lunghe!»

«Sta' zitto, Willie» disse il signor Oleson. Ma Willie non tacque. Continuò a dire: «Beccaccini, beccaccini!»

Nellie balzò vicino a Mary e Laura, poi infilò le mani in uno dei secchi di caramelle. Willie le infilò nell'altro. Afferrarono tutto ciò che riuscivano a tenere in mano e rimasero lì in piedi a rimpinzarsi di caramelle davanti a Mary e Laura. Le guardavano senza nemmeno offrirgliene un pezzetto.

«Nellie, Willie andate subito via di qui!» disse il signor Oleson.

Ma loro continuarono a infilarsi le caramelle in bocca guardando Mary e Laura. Il signor Oleson li ignorò. Mary gli diede i soldi e lui le diede la lavagna. Poi lui disse: «Ti servirà anche un gessetto, eccolo. Fa un penny».

Nellie disse: «Non ce l'hanno, un penny»

«Beh, prendetelo, dirò a vostro padre di darmi un penny la prossima volta che verrà in città» disse il signor Oleson.

«No, signore, grazie» disse Mary. Si voltarono entrambe e uscirono dal negozio. Sulla porta Laura si girò. Nellie le stava facendo una smorfia. La sua lingua era a strisce rosse e verdi per via della caramella.

«Santo cielo!» disse Mary «Come si fa a essere odiosi come quella Nellie Oleson».

Laura pensò: "Lo so. Potrei essere anche più cattiva di lei, se Pa e Ma mi dessero il permesso".

Guardarono la loro lavagna liscia e grigia, con la cornice di legno ben levigata e abilmente assemblata ai quattro angoli. Ma avevano bisogno di un gessetto.

Papà aveva già speso tanto per la lavagna e non volevano chiedergli un altro penny. Camminarono in silenzio, poi Laura si ricordò i loro penny di Natale. Avevano ancora i penny trovati nella calza di Natale quando vivevano nella terra degli Indiani.

Mary aveva un penny e Laura aveva un penny, ma serviva un solo gessetto. Così decisero che Mary avrebbe speso il suo per il gesso, e che avrebbe avuto la metà del penny di Laura. Il giorno seguente comprarono il gesso, ma non dal signor Oleson. Lo presero al negozio del signor Beadle, dove viveva la maestra, che era anche l'ufficio postale. Quella mattina camminarono fino alla scuola insieme alla maestra.

Durante quelle lunghe, calde settimane andavano a scuola, e l'amavano ogni giorno di più. Amavano leggere, scrivere e far di conto. Amavano esercitarsi nell'ortografia il venerdì pomeriggio. E Laura adorava la ricreazione, quando le bambine correvano fuori al sole e al vento, raccogliendo fiori di campo in mezzo all'erba della prateria e organizzando giochi.

I ragazzi facevano giochi da maschi lungo un lato dell'edificio della scuola; le bambine giocavano dall'altro lato e Mary sedeva come una signorina sui gradini con le altre ragazze grandi.

Le bambine più piccole facevano sempre il girotondo, perché così diceva Nellie Oleson. Erano ormai stufe, ma continuavano a farlo finché un giorno, prima ancora che Nellie parlasse, Laura disse: «Giochiamo allo zio John[8]!»

---

8 "Uncle John" era un gioco accompagnato da una filastrocca, molto diffuso al tempo dei pionieri.

«Sì, giochiamo!» dissero le bambine, tenendosi per mano. Ma Nellie afferrò i capelli di Laura con entrambe le mani e la spinse a terra.

«No, no!» urlò Nellie «Voglio giocare al girotondo!»

Laura saltò in piedi e fece per schiaffeggiare Nellie. Si fermò appena in tempo. Papà le aveva detto che non doveva mai picchiare nessuno.

«Dài, Laura» disse Christy, prendendole la mano. Il volto di Laura era in fiamme e aveva la vista appannata, ma si mise in cerchio intorno a Nellie, insieme alle altre. Nellie scosse i suoi ricci e agitò la gonna soddisfatta: l'aveva avuta vinta.

Poi Christy cominciò a cantare, e tutte le altre si unirono a lei:

Lo zio John è a letto malato,
che cosa gli manderemo?

«No, no! Girotondo!» urlò Nellie «Se no io non gioco!» uscì dal cerchio ma nessuno la seguì.

«Va bene, vai tu in mezzo, Maud» disse Christy. E ricominciarono:

Lo zio John è a letto malato,
che cosa gli manderemo?
Un pezzo di dolce, un pezzo di torta,
mele e fagottini!
In cosa li metteremo?
In un piatto d'oro.
Chi lo porterà?
La figlia del governatore.
Se il governatore non è in casa,
chi lo porterà?

E tutte le bambine urlarono: «Laura Ingalls!»

Laura si mise al centro del cerchio e tutte danzarono intorno a lei. Continuarono a giocare allo zio John fino a che la maestra non suonò la campanella. Nellie era rientrata a scuola e piangeva. Era così arrabbiata che, disse, non avrebbe mai più parlato né con Laura né con Christy.

Ma la settimana successiva invitò tutte le bambine, in particolare Laura e Christy, a una festa a casa sua, il sabato pomeriggio.

La festa in città

Laura e Mary non erano mai state a una festa e non sapevano cosa aspettarsi. Mamma aveva detto che era un momento piacevole che gli amici trascorrevano insieme.

Il venerdì, dopo la scuola, lavò i loro vestiti e le cuffie. Il sabato mattina li stirò per bene. Quel giorno Laura e Mary fecero il bagno al mattino invece che la sera.

«Siete belle come rose!» disse mamma nel vederle scendere giù per la scala. Annodò loro i nastri tra i capelli e si raccomandò di non perderli. «Ora fate le brave» disse «e non dimenticate le buone maniere».

Arrivate in città si fermarono da Cassie e Christy. Anche loro non erano mai state a una festa. Entrarono tutte, timidamente, nel negozio del signor Oleson, che disse: «Venite!»

Superarono le caramelle, i sottaceti e gli aratri e arrivarono alla porta sul retro del negozio. La porta si aprì. Dietro c'era Nellie, tutta ben vestita, e la signora Oleson che le invitò a entrare.

Laura non aveva mai visto una stanza così bella. Riuscì a malapena a dire: «Buongiorno signora Oleson» e «Sì, signora» e «No, signora».

Il pavimento era ricoperto di una specie di spesso tessuto, ruvido sotto i piedi scalzi di Laura. Era marrone e verde, con motivi rossi e gialli intrecciati su tutta la superficie. Le pareti e il soffitto erano fatti di tavole larghe e lisce perfettamente incastrate tra loro. Il tavolo e le sedie erano di un legno giallo che brillava come vetro, con gambe perfettamente stondate. C'erano quadri colorati appesi ai muri.

«Andate in camera, bambine, e toglietevi le cuffie» disse la signora Oleson con voce amichevole.

Anche la testata del letto era di legno lucido, e c'erano altri due mobili. Uno era fatto di cassetti disposti uno sopra l'altro, con due cassettini in cima e due pezzi di legno ricurvo che tenevano uno specchio. Sull'altro mobile c'era una caraffa di porcellana dentro un catino di porcellana e un piattino, sempre di porcellana, con dentro un pezzo di sapone.

In entrambe le stanze c'erano finestre con i vetri, e le tende erano di pizzo bianco.

Dietro il soggiorno c'era un grosso ripostiglio con dentro una stufa come quella di mamma, e un sacco di pentole e padelle appese alle pareti.

Le invitate erano arrivate e la gonna della signora Oleson frusciava tra loro. Laura avrebbe voluto fermarsi e guardarsi intorno ma la signora Oleson disse: «Nellie, va' a prendere i tuoi giocattoli»

«Possono giocare con quelli di Willie» disse Nellie.

«Non con il mio velocipede!» urlò Willie.

«Beh, possono giocare con la tua arca di Noé e con i soldatini» disse Nellie, mentre la signora Oleson calmava Willie.

Quell'arca di Noé era la cosa più bella che Laura avesse mai visto. Tutte si chinarono a guardarla tra gridolini e risate. C'erano zebre, elefanti, tigri e cavalli. Tutti quegli animali sembravano usciti dall'immagine che c'era nella Bibbia foderata di carta che avevano a casa.

C'erano anche due interi eserciti di soldatini di metallo con le uniformi dipinte di blu e di rosso.

E c'era un fantoccio a molla. Era intagliato in un legno piatto e sottile, con la giacca e i pantaloni di carta rigata incollati addosso. La faccia era dipinta di bianco con le guance rosse e gli occhi cerchiati, e aveva un cappello lungo e appuntito. Era fissato a due bacchette di legno rosso che, quando le stringevi, lo facevano danzare.

Le sue mani si reggevano a delle corde intrecciate. Poteva ribaltarsi con una capriola sopra le corde e mettersi in equilibrio sulla testa, con i piedi che gli toccavano il naso.

Persino le bambine grandi cinguettavano e lanciavano gridolini alla vista degli animali e dei soldatini, e ridevano fino alle lacrime per via del fantoccio a molla.

Poi Nellie passò tra loro e disse: «Potete guardare la mia bambola».

La bambola aveva la testa di porcellana, le sue guance erano rosa e la bocca rossa. Aveva occhi neri e capelli di porcellana, neri e ondulati, manine di porcellana e, ai piedi, scarpine di porcellana nera.

«Oh!» disse Laura «Che bella bambola! Nellie, come si chiama?»

«È solo una vecchia bambola» disse Nellie «non m'importa di lei. Aspettate di vedere la mia bambola di cera».

Mise la bambola di porcellana in un cassetto e tirò fuori una lunga scatola. La posò sul letto e tolse il coperchio. Tutte le bambine si avvicinarono sporgendosi per guardare.

C'era una bambola che sembrava viva. Aveva capelli veri, biondi e ricci, appoggiati su un piccolo cuscino. Le labbra erano socchiuse e lasciavano intravedere due piccoli denti bianchi. I suoi occhi erano chiusi. La bambola dormiva nella scatola.

Nellie la sollevò e i suoi occhi si aprirono. Aveva grandi occhi blu, e sembrava che ridesse. Le sue braccia si aprirono e disse: «Mamma!»

«Lo fa quando le schiaccio la pancia» disse Nellie «guardate!» Colpì la bambola con un pugno all'altezza dello stomaco, e la poveretta urlò: «Mamma!»

105

Era vestita di seta blu. La sua sottoveste era vera, bordata con balze e pizzo. Anche i mutandoni erano veri, e si potevano togliere. Ai piedi aveva vere pantofoline di pelle.

Per tutto il tempo Laura non aveva detto una parola. Non poteva. Non aveva intenzione di toccare veramente quella bambola meravigliosa, ma il suo dito sfiorò la seta blu.

«Non toccarla!» strillò Nellie. «Giù le mani dalla mia bambola, Laura Ingalls!»

Strinse a sé la bambola e si voltò in modo che Laura non potesse vederla mentre la rimetteva nella scatola.

Il viso di Laura era rosso e le altre bambine non sapevano cosa fare. Laura andò a sedersi su una sedia. Le altre guardarono Nellie mettere la bambola in un cassetto e chiuderlo. Poi tornarono a guardare gli animali e i soldatini e a far saltare il fantoccio a molla.

Arrivò la signora Oleson e chiese a Laura perché non stesse giocando. Laura rispose: «Preferisco rimanere seduta qui, grazie signora»

«Vuoi guardare questi?» le chiese la signora Oleson, porgendole due libri.

«Grazie, signora» disse Laura.

Sfogliava le pagine dei libri con cura. Uno dei due non era proprio un libro. Era sottile e non aveva copertina. Era una rivista per bambini. L'altro era un libro con una copertina spessa e lucida. Sulla copertina c'era la figura di una donna anziana che indossava un cappello a punta e, cavalcando una scopa, passava davanti a una grande luna gialla. Sopra la sua testa c'era scritto, a grandi lettere:

MAMMA OCA

Laura non sapeva che al mondo esistessero libri meravigliosi come quello. In ogni pagina c'era un'immagine e un verso. Riuscì a leggerne alcuni e si dimenticò completamente della festa.

All'improvviso la signora Oleson disse: «Vieni, ragazzina. Non vorrai che gli altri mangino tutta la torta!»

«Sì, signora» disse Laura. «No, signora».

Il tavolo era coperto da un tessuto bianco lucido. Sopra c'era una bellissima torta bianca e dei lunghi bicchieri.

«Ho il pezzo più grosso!» urlò Nellie, afferrando una fetta di torta. Le altre rimasero sedute e aspettarono che la signora Oleson desse a ciascuna la propria fetta, servita in un piatto di porcellana.

«La limonata è abbastanza dolce?» chiese la signora Oleson. Così Laura seppe che c'era limonata nei bicchieri. Non aveva mai assaggiato nulla del genere. All'inizio era dolce ma, dopo aver mangiato un pezzo di torta, sembrava diventata amara.

Ma tutte risposero: «Sì, grazie signora».

Fecero attenzione a non far cadere le briciole sulla tovaglia e non rovesciarono nemmeno una goccia di limonata.

Poi arrivò il momento di tornare a casa. Laura si ricordò di dire, come le aveva suggerito mamma: «Grazie, signora Oleson, è stata davvero una bella festa» e così fecero le altre.

Quando furono uscite dal negozio, Christy disse a Laura: «Avresti dovuto prenderla a schiaffi, quella terribile Nellie Oleson!»

«Oh, no! Non potevo!» disse Laura «Ma mi prenderò una bella rivincita. *Shhh*, non dirlo a Mary».

Jack aspettava da solo al guado. Era sabato e Laura non aveva giocato con lui. Doveva passare un'intera settimana prima che potessero giocare insieme lungo il ruscello.

Raccontarono a mamma della festa e lei disse: «Non si può accettare l'ospitalità altrui senza ricambiare. Ci ho pensato, bambine. Dovreste invitare Nellie e le altre a una festa qui. Pensavo a sabato prossimo».

La festa in campagna

«Volete venire alla mia festa?» chiese Laura a Christy, Maud e Nellie Oleson. Mary chiese alle ragazze più grandi. Tutte dissero che sarebbero andate.

Quel sabato mattina la casa nuova era particolarmente bella. Jack non poteva entrare, il pavimento era pulito. I vetri delle finestre brillavano e le tende bordate di rosa erano pulite e stirate. Laura e Mary avevano fatto nuove ghirlande di stelle da mettere sugli scaffali e mamma aveva preparato le frittelle.

Le aveva fatte con uova e farina bianca e fritte in una pentola piena di grasso sfrigolante. Le frittelle andavano su e giù, poi si rovesciavano, sollevando la parte inferiore, tonda e dorata. Poi si gonfiavano e, quando diventavano rotonde, mamma le raccoglieva con una forchetta. Mamma mise le frittelle nella credenza: erano per la festa.

Laura, Mary, mamma e Carrie erano vestite e aspettavano che gli ospiti arrivassero, a piedi, dalla città. Laura aveva persino spazzolato Jack, anche se lui era sempre bello con il suo pelo raso, bianco a chiazze marroni.

Jack corse con Laura fino al guado. Le bambine arrivavano ridendo e schizzando mentre attraversavano il ruscello illuminato dal sole. Tutte tranne Nellie. Si era dovuta togliere le calze e le scarpe, e si lamentava del fatto che la ghiaia le faceva male ai piedi: «Io non vado in giro scalza: ho le calze e le scarpe».

Indossava un vestito nuovo e aveva grandi nastri nuovi tra i capelli.

«Quello è Jack?» chiese Christy. Tutte lo accarezzarono e dissero che era un bravo cane.

Ma quando lui si avvicinò educatamente a Nellie, lei disse: «Vattene! Non toccare il mio vestito»

«Non ti toccherà il vestito» disse Laura.

Salirono lungo il sentiero, tra l'erba che ondeggiava al vento e i fiori di campo, fino alla casa, dove mamma le stava aspettando. Mary le disse i nomi di tutte le ragazze. Lei sorrise amabilmente e parlò con loro. Nellie si sistemò il bel vestito e disse a mamma: «Ovviamente non ho indossato il mio vestito migliore per una semplice festa di campagna».

A Laura non importava più quel che le aveva insegnato mamma, né se papà l'avrebbe punita. Avrebbe avuto la sua rivincita nei confronti di Nellie. Non poteva permettersi di parlare così a mamma.

Mamma sorrise e disse: «È un vestito molto bello, Nellie. Siamo felici che tu sia potuta venire».

Ma Laura non aveva intenzione di perdonare Nellie.

Alle invitate piacque la loro bella casa. Era così pulita e ariosa, profumava di buono ed era circondata dall'erba della prateria. Salirono su per la scala e videro la soffitta di Mary e Laura: nessuna di loro aveva una cosa del genere. Ma Nellie chiese: «Dove sono le tue bambole?»

Laura non voleva mostrare Charlotte, la sua amata bambola di pezza, a Nellie Oleson. Disse: «Io non gioco con le bambole. Gioco al ruscello».

Poi uscirono insieme a Jack. Laura mostrò loro i pulcini vicino ai mucchi di paglia, poi guardarono le file di piante dell'orto e il campo di grano che continuava a crescere. Corsero giù per la collina fino alla riva bassa del ruscello. C'erano il salice e la passerella, e l'acqua che spuntava dall'ombra del boschetto di susini. Il ruscello correva largo e basso sui ciottoli scintillanti e gorgogliava sotto il ponte, per finire nella pozza in cui l'acqua arrivava al ginocchio.

Mary e le ragazze grandi scesero lentamente, portando Carrie per farla giocare. Ma Laura, Christy, Maud e Nellie si tirarono su la gonna ed entrarono nell'acqua fresca. Gruppi di pesciolini fuggivano via dalle loro urla e dagli spruzzi.

Le ragazze grandi portarono Carrie nell'acqua bassa e scintillante e raccolsero i sassi più belli sulla riva del ruscello. Le piccole giocavano lungo la passerella. Correvano nell'erba tiepida, poi tornavano a giocare nell'acqua. Mentre stavano giocando, a Laura venne in mente una cosa che poteva fare a Nellie.

Condusse le bambine fino alla casa del vecchio granchio. Il rumore e gli spruzzi lo avevano spinto a rifugiarsi sotto la sua roccia. Vedendo le chele che si agitavano e la testa verde-marrone che faceva capolino, Laura spinse Nellie verso di lui. Poi, con un calcio, spruzzò dell'acqua sulla roccia e urlò:

«Oh, Nellie! Nellie, attenzione!»

Il vecchio granchio corse verso i piedi di Nellie, agitando le pinze per pizzicarla.

«Corri! Corri!» urlò Laura, spingendo indietro Christy e Maud verso la passerella. Poi tornò vicino a Nellie. Nellie correva urlando verso l'acqua fangosa sotto i susini. Laura si fermò sulla ghiaia e guardò la pietra del granchio.

«Aspetta, Nellie» disse «resta qui»

«Oh, cos'era, cos'era? Sta venendo?» chiese Nellie. Aveva lasciato cadere il vestito, e la sua gonna e la sottogonna erano nell'acqua fangosa.

«È un vecchio granchio» le disse Laura. «Spezza i bastoni in due con le sue pinze. Potrebbe tagliarci le dita dei piedi»

«Oh, dov'è? Sta venendo?» chiese Nellie.

«Tu resta qui, io vado a vedere» disse Laura, e avanzò lentamente fermandosi a guardare di tanto in tanto. Il vecchio granchio era tornato sotto la sua roccia, ma Laura non lo disse. Avanzò lentamente fino al ponte, mentre Nellie guardava dal boschetto di susini. Poi tornò indietro e disse: «Ora puoi uscire».

Nellie tornò nell'acqua pulita. Disse che non le piaceva quell'orrendo vecchio torrente e che non avrebbe più giocato. Provò a lavare il suo vestito sporco di fango, poi i piedi. A quel punto urlò.

Delle sanguisughe marroni le si erano attaccate alle gambe e ai piedi. Non venivano via con l'acqua. Provò a staccarne una, poi corse urlando su per la riva del ruscello. Lì si mise a urlare e a scalciare più forte che poteva, prima con un piede e poi con l'altro.

Laura rise fino a cadere rotolandosi nell'erba. «Oh, guardate, guardate!» urlò, ridendo «Guardate la danza di Nellie!»

Le altre ragazze arrivarono di corsa. Mary disse a Laura di togliere le sanguisughe che Nellie aveva addosso, ma lei non ascoltava. Continuò a rotolarsi ridendo.

«Laura!» disse Mary «alzati e toglile, o lo dirò a Ma».

Allora Laura cominciò a togliere le sanguisughe di dosso a Nellie. Le ragazze guardavano e urlavano mentre le tirava allungandole ancora, ancora e ancora. Nellie disse, urlando: «Non mi piace la tua festa! Voglio andare a casa!»

Mamma, che le aveva sentite urlare, arrivò di corsa al ruscello. Disse a Nellie di non piangere. Era solo qualche sanguisuga, non c'era bisogno di piangere. Disse che era ora di tornare a casa.

La tavola era graziosamente apparecchiata con la tovaglia più bella e la brocca blu piena di fiori. Le panche erano sistemate ai lati

111

del tavolo. Le tazze di latta luccicanti erano piene di latte freddo e cremoso dalla cantina, e il grande piatto da portata era pieno di frittelle color miele.

Le frittelle non erano dolci, ma erano deliziose, croccanti e vuote dentro. Ciascuna di esse era come una grossa bolla. La parte croccante si scioglieva in bocca.

Ne mangiarono a volontà. Dissero di non aver mai mangiato nulla di così buono, e chiesero a mamma cosa fossero.

«Frittelle vanitose» disse mamma «perché sono belle gonfie ma vuote dentro, come le persone vanitose».

C'erano così tante frittelle che mangiarono fino a non poterne più, e bevvero tutto il latte, freddo e dolce, che riuscirono a bere.

Poi la festa finì. Tutte le ragazzine, tranne Nellie, che era ancora arrabbiata, ringraziarono.

A Laura non importava. Christy la strinse tra le braccia e le disse nell'orecchio: «Non mi sono mai divertita tanto! E Nellie ha avuto quel che meritava!»

Laura si sentì soddisfatta nel pensare a Nellie che sgambettava sulla riva del ruscello.

In chiesa

Era sabato sera e papà sedeva sul gradino davanti alla porta fumando la sua pipa del dopocena. Laura e Mary gli sedevano accanto, una da un lato e una dall'altro. Mamma, con Carrie in braccio, camminava dolcemente avanti e indietro nell'ingresso.

Il vento era calato. Le stelle erano basse e brillanti. Il cielo buio era profondo dietro le stelle e il Plum Creek mormorava tra sé.

«Oggi in città mi hanno detto che ci sarà la predica domani, nella nuova chiesa» disse papà. «Ho incontrato il reverendo Alden e ha insistito perché ci andassimo. Gli ho detto di sì»

«Oh, Charles» esclamò mamma «è da così tanto tempo che non andiamo in chiesa!»

Laura e Mary non avevano mai visto una chiesa. Ma sapevano da mamma che andare in chiesa era meglio che andare a una festa. Dopo un po' mamma disse: «Sono così contenta di aver finito il mio vestito nuovo»

«Sarai bella come una rosa» disse papà. «Dovremo partire molto presto».

La mattina seguente fecero tutto in fretta: colazione in fretta, i lavori di casa in fretta, mamma si vestì e vestì Carrie in fretta. Con voce frettolosa le chiamò dai piedi della scala: «Venite bambine, vi metto i nastri tra i capelli».

Scesero in fretta. Poi rimasero lì a guardare mamma. Era splendida con il suo vestito nuovo. Era di calicò bianco e nero: una larga striscia bianca, poi una striscia ancora più larga fatta di striscioline bianche e nere, non più larghe di un filo. Sul davanti si chiudeva con dei bottoni neri. E la gonna era tirata indietro e poi sollevata in sbuffi e balze.

Il colletto era di pizzo lavorato all'uncinetto. Il pizzo si apriva in un fiocco sul petto e la spilla d'oro teneva insieme colletto e fiocco. Il volto di mamma era radioso. Aveva guance rosse e occhi luminosi.

Fece voltare Laura e Mary e annodò in fretta i nastri alle loro trecce. Poi prese la mano di Carrie. Uscirono tutti sul gradino davanti alla porta e mamma chiuse a chiave.

Carrie sembrava uno di quegli angioletti descritti nella Bibbia. Indossava un vestito e una cuffietta bianchi, tutti bordati di pizzo. I suoi occhi erano grandi e solenni. I ricci dorati spuntavano fuori dalla cuffia e le scendevano sulle guance.

Poi Laura vide i suoi nastri rosa sulle trecce di Mary. Si mise la mano davanti alla bocca prima che ne uscisse una parola. Si voltò e si guardò alle spalle. Legati alle trecce, aveva i nastri blu di Mary.

Lei e Mary si guardarono senza dire nulla. Nella fretta, mamma aveva sbagliato. Sperarono che non se ne accorgesse. Laura era così stanca del rosa e Mary era stufa del blu. Ma Mary doveva indossare il blu perché i suoi capelli erano biondi e Laura il rosa perché i suoi erano castani.

Papà arrivò dalla stalla con il carro. Aveva spazzolato Sam e David fino a farli brillare nella luce del mattino. Avanzavano fieri, scuotendo la testa. Le code e le criniere ondeggiavano.

C'era un telo pulito sul sedile del carro e un altro steso sul fondo. Papà aiutò mamma a salire scavalcando la ruota e le porse Carrie. Poi lanciò Laura all'interno del carro, e le sue trecce svolazzarono.

«Ho messo i nastri sbagliati nei capelli di Laura!» disse la mamma. «Nessuno lo noterebbe su un cavallo al trotto!» disse papà. Così Laura seppe che avrebbe potuto indossare i nastri blu.

Seduta vicino a Mary sul telo pulito, si mise le trecce davanti alle spalle. Così fece Mary, e si scambiarono un sorriso. Ogni volta che abbassava lo sguardo, Laura poteva vedere il blu, e Mary il rosa.

Papà fischiettava e quando Sam e David partirono cominciò a cantare:

Oh, ogni domenica mattina
mia moglie è al mio fianco.
Aspetta il carro,
insieme andremo a fare un giro!

«Charles» disse mamma dolcemente, per ricordargli che era domenica. Allora cantarono tutti insieme:

C'è un paese felice,
molto molto lontano,
dove i santi gloriosi
splendono come la luce del giorno!

Il Plum Creek sbucava sotto i salici e scorreva brillando alla luce del sole. Sam e David trottavano nell'acqua bassa e scintillante. Gocce luccicanti svolazzavano in aria e dalle ruote schizzavano fuori onde d'acqua. Poi furono nel mezzo dell'infinita prateria.

Il carro avanzava lentamente lungo la strada, lasciando sull'erba tracce appena accennate. Gli uccelli cinguettavano le loro canzoni mattutine, le api ronzavano, i bombi andavano di fiore in fiore, e grosse cavallette si alzavano in volo ronzando.

Arrivarono in città che era ancora troppo presto. La bottega del maniscalco era ancora chiusa e silenziosa. Le porte dei negozi erano chiuse. Uomini e donne, vestiti di tutto punto, con i loro bambini vestiti di tutto punto, camminavano lungo i bordi della polverosa strada principale. Si dirigevano verso la chiesa.

La chiesa era un edificio nuovo non lontano dalla scuola. Papà vi si diresse, attraversando con il carro l'erba della prateria. La chiesa era come la scuola, a eccezione del fatto che sopra il tetto c'era una stanzetta vuota.

«Cos'è quello?» chiese Laura.

«Non indicare, Laura» rispose mamma «è un campanile».

Papà fermò il carro di fronte all'alto portico della chiesa e aiutò mamma a scendere. Laura e Mary scesero a loro volta, scavalcando il cassone del carro. Poi aspettarono mentre papà sistemava il carro all'ombra della chiesa, staccava Sam e David e li legava al carro.

La gente arrivava attraversando l'erba, saliva le scale ed entrava in chiesa. All'interno c'era un mormorio basso e solenne.

Alla fine papà arrivò. Prese in braccio Carrie e camminò con mamma fin dentro la chiesa. Laura e Mary camminavano lentamente, appena dietro di loro. Sedettero tutti in fila su una lunga panca.

La chiesa era esattamente come la scuola, a parte quella strana sensazione di vuoto. Ogni minimo rumore riecheggiava, amplificato dalle pareti di legno nuove.

Un uomo alto e magro stava in piedi dietro l'alto banco sulla pedana. I suoi abiti erano neri, la grossa cravatta era nera e anche i capelli e la barba che gli circondava il viso.

La sua voce era dolce e gentile. Tutte le teste annuivano. La voce dell'uomo parlò a lungo a Dio. Laura rimase perfettamente immobile, guardando i fiocchi blu delle sue trecce.

All'improvviso una voce, accanto a lei, disse: «Vieni con me».

Laura sussultò. Una bella signora dagli occhi blu le sorrideva. Disse ancora: «Venite, bambine. Faremo una lezione di catechismo».

Mamma fece sì con la testa, così Laura e Mary si alzarono dalla panca. Non sapevano che ci fosse lezione la domenica.

La signora le condusse in un angolo. C'erano tutte le bambine della scuola, e tutte si guardavano con aria interrogativa. La signora trascinò le panche disponendole in modo da formare un quadrato. Sedette e prese Laura e Christy accanto a sé. Quando le altre furono sedute sul quadrato formato dalle panche, la signora disse che il suo nome era signora Tower e chiese alle bambine i loro nomi. Poi disse: «Ora vi racconterò una storia».

Laura era contenta. Ma quando la signora Tower cominciò: «È la storia di un bambino, nato tanto tempo fa in Egitto. Il suo nome era Mosè» smise di ascoltare. Sapeva tutto di Mosè e della cesta tra i giunchi. Persino Carrie conosceva quella storia.

Dopo il racconto, la signora Tower sorrise ancor più del solito e disse: «Ora impareremo un verso della Bibbia, che ne dite?»

«Sì, signora» risposero tutte in coro. A ogni bambina la signora disse un verso della Bibbia. Dovevano ricordarlo e ripeterlo la settimana successiva. Quella era la lezione di catechismo.

Quando fu il turno di Laura, la signora Tower l'abbracciò e le fece un sorriso, caldo e dolce quasi quanto quello di mamma. Disse: «La più piccola delle bambine avrà il più piccolo dei versi. Questo è il più corto di tutta la Bibbia!»

Allora Laura seppe di cosa si trattava. Con uno sguardo sorridente la signora Tower disse: «Sono solo due parole!» poi chiese: «Pensi di poterle ricordare per una settimana intera?»

Laura era sorpresa. Ma certo, ricordava versi lunghi e persino interi canti. Ma non voleva offendere la signora Tower, quindi rispose: «Sì, signora»

«Brava, la mia bambina!» disse la signora Tower. Ma Laura era la bambina di mamma. «Te lo ripeterò ancora, per aiutarti a ricordare. Solo due parole» disse la signora Tower «puoi ripeterle dopo di me?»

Laura era imbarazzata.

«Prova» la esortò la signora Tower. Laura abbassò la testa e ripeté sottovoce il verso.

«Bene! Ora farai del tuo meglio per ricordarlo e ripetermelo domenica prossima?»

Laura annuì.

Dopodiché tutti si alzarono e provarono a cantare *Gerusalemme d'oro*. Non erano in molti a conoscere le parole della canzone. Laura aveva i brividi lungo la schiena e le sue orecchie chiedevano pietà. Fu un sollievo quando tornarono tutti a sedere.

Poi l'uomo alto e magro si alzò e parlò. Laura pensò che avrebbe continuato all'infinito. Guardava, fuori dalle finestre aperte, le farfalle libere di andare dove volevano e l'erba cullata dal vento. Ascoltava il vento soffiare lungo i bordi del tetto. Guardò i nastri blu tra i capelli, poi si guardò le unghie delle mani, ammirando il modo in cui le dita combaciavano tra loro. Infilò le dita di una mano in quelle dell'altra, come l'angolo di una casa di tronchi. Guardò le listarelle del tetto, sopra di lei. Le facevano male le gambe, a forza di stare ferma.

Alla fine si alzarono e provarono nuovamente a cantare. Dopodiché la cerimonia finì. Potevano tornare a casa.

L'uomo alto e magro era in piedi vicino alla porta. Era il reverendo Alden. Strinse la mano a mamma e papà e parlarono per un po'. Poi si chinò per stringere la mano a Laura.

I suoi denti splendevano dietro la barba scura. Gli occhi blu erano calorosi. Chiese: «Ti è piaciuta la lezione di catechismo, Laura?»

All'improvviso Laura si rese conto che le era proprio piaciuta e disse: «Sì, signore»

«Allora verrai tutte le domeniche!» rispose il reverendo Alden «Ti aspettiamo». Laura capì che l'avrebbe aspettata davvero, che non se ne sarebbe dimenticato.

Sulla strada del ritorno papà disse: «Beh, Caroline, è bello stare insieme a tanta gente che cerca di agire nel modo giusto, proprio come noi»

«Sì, Charles» disse mamma, riconoscente «sarà un piacere che aspetteremo per tutta la settimana».

Papà si voltò sul sedile e chiese: «Bambine, cosa ne dite della vostra prima volta in chiesa?»

«Non sanno cantare» disse Laura.

Papà esplose in una sonora risata, poi disse: «Non c'era nessuno che desse il la!»

«Al giorno d'oggi, Charles» commentò mamma «esistono i libri dei canti»

«Forse un giorno potremo permettercene uno» rispose papà.

Da quel giorno andarono al catechismo ogni settimana. Per tre o quattro volte facevano lezione, poi arrivava il reverendo Alden, e quella era la domenica della predica. Il reverendo Alden viveva nella sua vera chiesa, a Est. Non poteva venire fino lì ogni domenica. Quella a Ovest era la sua chiesa missionaria.

Niente più domeniche lunghe, noiose e monotone: ora c'erano le lezioni di catechismo e, dopo la lezione, avevano tanti nuovi argomenti di conversazione.

Le migliori domeniche erano quelle in cui c'era il reverendo Alden. Si ricordava sempre di Laura, e lei lo ricordava spesso tra un incontro e l'altro. Chiamava Laura e Mary le sue "ragazze di campagna".

Una domenica, mentre papà, mamma, Mary e Laura sedevano a tavola parlando della lezione di catechismo, papà disse: «Se devo portarvi in mezzo a gente ben vestita, farei bene a prendermi un paio di stivali nuovi. Guardate».

Allungò il piede. Il suo stivale, già rattoppato, si era rotto all'altezza delle dita.

Guardarono la sua calza rossa che sbucava dalla fessura aperta. I bordi di pelle erano sottili e si arrotolavano tra le piccole crepe. Papà disse: non posso riaggiustarli ancora.

«Oh, volevo che ti prendessi degli stivali, Charles» disse mamma «e tu mi hai portato quel calicò per il mio vestito».

Papà decise: «Prenderò un paio di stivali nuovi quando andrò in città, sabato prossimo. Costeranno tre dollari, ma in qualche modo ce la caveremo fino al momento del raccolto».

Per tutta la settimana papà fece il fieno. Aveva aiutato il signor Nelson con il suo, guadagnandosi il diritto di usare la sua falciatrice. Disse che il tempo era perfetto: non aveva mai visto un'estate così secca e soleggiata.

Laura non avrebbe voluto andare a scuola. Avrebbe preferito restare nei campi con papà, a guardare quella macchina meravigliosa che falciava l'erba con le sue lunghe lame.

Sabato mattina andò nel campo con il carro e aiutò papà a finire di caricare il fieno. Guardarono il campo di grano, più alto di Laura, oltre la porzione di erba falciata.

La sua superficie piatta era ruvida di spighe, piegate sotto il peso dei chicchi maturi.

Una volta raccolto il grano, papà disse che non avrebbero più avuto debiti e avrebbero avuto tanti soldi da non sapere cosa farne. Lui avrebbe avuto un calesse, mamma un vestito di seta, tutti avrebbero avuto scarpe nuove e avrebbero mangiato carne ogni domenica.

Dopo pranzo indossò una camicia pulita e prese tre dollari dalla scatola del violino. Sarebbe andato in città a comprare gli stivali nuovi. Ci andò a piedi. I cavalli avevano lavorato tutta la settimana, quindi li lasciò a casa a riposare.

Era tardo pomeriggio quando papà tornò a casa a piedi. Laura lo vide sulla collina e corse con Jack dalla casa del vecchio granchio nel ruscello, poi entrò insieme a lui.

Mamma, che stava sfornando il pane del sabato, si voltò:

«Dove sono i tuoi stivali, Charles?» chiese.

«Beh, Caroline» disse papà «ho visto il reverendo Alden e mi ha detto che non riusciva a raccogliere abbastanza soldi per comprare una campana da mettere nel campanile. La gente in città gli ha dato tutto quel che poteva, ma gli mancavano ancora tre dollari. Così glieli ho dati»

«Oh, Charles!» fu tutto ciò che disse mamma.

Papà guardò il suo stivale rotto: «Lo aggiusterò» disse «troverò un modo. Pensa, potremo sentire suonare la campana della chiesa fin qui».

Mamma si voltò nuovamente verso il forno. Laura uscì in silenzio e sedette sul gradino davanti alla porta. Le faceva male la gola. Avrebbe voluto tanto che papà avesse un paio di stivali nuovi.

Sentì papà dire: «Non preoccuparti, Caroline. Tra poco raccoglierò il grano».

La nuvola scintillante

Il grano era quasi pronto per essere raccolto. Papà lo guardava ogni giorno. Ogni sera ne parlava e mostrava a Laura le lunghe spighe forti. I grossi semi diventavano sempre più duri sotto la buccia. Papà diceva che il tempo era perfetto per la maturazione del grano.

«Se continua così» disse «cominceremo a raccoglierlo la settimana prossima».

Faceva molto caldo. Il cielo, alto e rovente, era così caldo che non si riusciva a guardarlo. L'aria calda saliva a ondate dalla prateria, come da un forno acceso. A scuola i bambini ansimavano come lucertole, e la resina appiccicosa dei pini colava lungo le pareti di legno.

Sabato mattina Laura andò con papà a vedere il grano. Era alto quasi quanto lui. Papà la sollevò sulle spalle in modo che potesse vedere oltre le cime, pesanti e ricurve. Il campo era di un verde dorato.

A tavola papà ne parlò a mamma. Non aveva mai visto un raccolto del genere. C'erano quaranta staia[9] per acro, e il grano valeva un dollaro a staio. Erano ricchi. Quello era un paese meraviglioso. Ora avrebbero avuto tutto ciò che desideravano. Laura ascoltava e pensava che finalmente papà avrebbe avuto i suoi stivali nuovi.

Sedette di fronte alla porta aperta. La luce del sole ondeggiava attraverso l'apertura. Sembrava che qualcosa attenuasse la luce.

---

9 Lo staio è un'antica unità di misura che si usava per il grano [n.d.t.].

Laura si strofinò gli occhi e guardò di nuovo. La luce del sole era offuscata, e lo divenne sempre più, fino a oscurarsi completamente.

«Credo che stia arrivando un temporale» disse mamma «deve esserci una nuvola davanti al sole».

Papà si alzò in fretta e si diresse verso la porta. Il temporale avrebbe potuto danneggiare il raccolto. Guardò fuori, poi uscì.

La luce era strana. Non era come quando cambia prima di un temporale, e l'aria non era pesante, come prima della tempesta. Laura era spaventata, ma non sapeva perché.

Corse fuori. Papà stava guardando il cielo. Uscirono anche mamma e Mary, e papà disse: «Cosa ne pensi, Caroline?»

C'era una nuvola davanti al sole. Non somigliava alle nuvole che avevano visto fino a quel momento. Dalla nuvola cadde qualcosa che sembrava neve. Ma i pezzi erano più grandi dei fiocchi di neve, più sottili e luccicanti. La luce faceva brillare ogni singolo pezzetto.

Non c'era vento. L'erba era immobile e l'aria calda. Eppure la nuvola si avvicinava, attraversando velocemente il cielo. A Jack si drizzarono i peli sul collo. A un certo punto emise un suono spaventato diretto verso la nuvola, un ringhio e un lamento.

Toc! Qualcosa cadde sulla testa di Laura e poi a terra. Guardò in basso: era la cavalletta più grossa che avesse mai visto. Poi enormi cavallette marroni cominciarono a cadere a terra tutto intorno colpendola in testa, in faccia e sulle braccia. Cadevano con un tonfo, come se grandinasse.

Dalla nuvola piovevano cavallette. Era una nuvola di cavallette. I loro corpi nascondevano il sole e facevano scendere il buio. Le ali larghe e sottili brillavano. Il ronzio stridente riempiva l'aria e colpivano il suolo e la casa con il rumore di una tempesta di grandine.

Laura cercava di respingerle, ma le si attaccavano alla pelle e al vestito. La guardavano con gli occhi sporgenti, girando la testa da una parte e dall'altra. Mary corse in casa urlando. Il terreno era ricoperto di cavallette. Non c'era nemmeno un piccolo spazio su cui camminare. Laura dovette camminare schiacciando le cavallette, che crepitavano sotto i suoi piedi.

Mamma stava chiudendo tutte le finestre della casa. Papà entrò e rimase vicino alla porta d'ingresso, guardando fuori. Laura e Jack stavano vicino a lui. Le cavallette cadevano dal cielo e brulicavano a terra. Le lunghe ali erano ripiegate e le loro zampe forti le facevano saltare ovunque. L'aria ronzava e dal tetto proveniva lo stesso rumore di quando grandinava.

Poi Laura udì un altro suono. Un rumore forte, fatto di tanti piccoli suoni, come un mordicchiare, rosicchiare, tagliuzzare.

«Il grano!» urlò papà. Si precipitò fuori dalla porta sul retro e corse verso il campo di grano.

Le cavallette stavano mangiando. Per sentire una cavalletta che mangia bisogna ascoltare attentamente mentre la si nutre con un filo d'erba. Ma ora c'erano milioni e milioni di cavallette che mangiavano. Si sentivano milioni di mascelle che mordevano e masticavano.

Papà tornò di corsa alla stalla. Dalla finestra, Laura lo vide attaccare Sam e David al carro. Con la forca cominciò a raccogliere della paglia vecchia e sporca dal mucchio di letame dentro il carro, più in fretta che poteva. Mamma uscì, prese l'altra forca e lo aiutò. Poi papà si diresse verso il campo di grano e mamma lo seguì.

Papà girò intorno al campo, buttando di tanto in tanto piccoli mucchi di paglia. Mamma si fermò sopra a uno di essi, poi un filo di fumo si alzò dal mucchio e cominciò a espandersi. Uno dopo l'altro, mamma accese tutti i mucchi. Laura guardò finché una macchia di fumo non coprì il campo, papà, mamma e il carro.

Le cavallette continuavano a cadere dal cielo e a coprire il sole, oscurandolo.

124

Mamma rientrò in casa. Nel ripostiglio si tolse il vestito e la sottogonna, scuotendoli e uccidendo le cavallette che cadevano. Aveva acceso dei fuochi tutto intorno al campo di grano. Forse il fumo avrebbe impedito alle cavallette di mangiarlo.

Mamma, Mary e Laura stavano in silenzio, chiuse nella casa soffocante. Carrie era così piccola che piangeva, persino in braccio a mamma. Pianse fino ad addormentarsi. Attraverso le pareti si sentiva il rumore delle cavallette che masticavano.

Il buio se ne andò. Il sole tornò a splendere. A terra c'era un tappeto di cavallette striscianti e saltellanti. Stavano mangiando tutta l'erba corta e tenera della collina. L'erba alta della prateria ondeggiava, si piegava e cadeva.

«Oh, guardate» disse Laura, alla finestra. Le cavallette stavano mangiando le chiome dei salici. Le foglie erano sottili e i rami spogli spuntavano fuori. Alla fine tutti i rami rimasero spogli e pieni di protuberanze: erano mucchi di cavallette.

«Non voglio più guardare» disse Mary, allontanandosi dalla finestra. Anche Laura non voleva più guardare, ma non riusciva a smettere.

Le galline erano buffe. Con i loro maldestri pulcini, mangiavano cavallette a volontà. Erano abituati ad allungare il collo e a correre dietro alle cavallette senza riuscire ad acchiapparle. Ora, ogni volta che si allungavano, riuscivano a prenderne una. Erano sorpresi. Continuavano ad allungare il collo e a cercare di voltarsi contemporaneamente in tutte le direzioni.

«Beh, non dovremo comprare da mangiare per le galline» disse mamma. «Anche le perdite più grosse comportano sempre un piccolo beneficio».

Le file verdi dell'orto si stavano afflosciando. Patate, carote, barbabietole e fagioli venivano divorati. Le lunghe foglie delle piante di granoturco, i pennacchi e le bucce delle pannocchie ancora tenere cadevano a terra, ricoperti di cavallette.

Niente e nessuno poteva fermarle.

Il campo di grano era immerso nel fumo, attraverso il quale Laura talvolta riusciva a intravedere papà.

Quando fu ora di andare a prendere Spot, Laura si mise calze, scarpe e uno scialle. Nel vecchio guado del ruscello, Spot si scuoteva e agitava la coda. La mandria avanzava muggendo tristemente, oltre la vecchia casa sotterranea. Laura era certa che le bestie non potessero mangiare l'erba, così piena di cavallette. Se le cavallette mangiavano tutta l'erba, le mucche non avrebbero più avuto di che nutrirsi.

C'erano cavallette sotto la sua gonna, sul vestito e sullo scialle. Laura continuava a scacciarle dal viso e dalle mani. Sotto le sue scarpe e sotto le zampe di Spot le cavallette scricchiolavano.

Mamma, coperta da uno scialle, arrivò per la mungitura. Laura l'aiutò. Non riuscivano a tenere le cavallette fuori dal latte. Mamma aveva portato un tessuto per coprire il secchio, ma non potevano tenerlo coperto mentre mungevano. Mamma toglieva le cavallette con una tazza di latta.

Le cavallette entrarono in casa con loro. I vestiti ne erano ricoperti. Alcune saltarono nel forno caldo mentre Mary cominciava a preparare la cena. Mamma tenne coperto il cibo finché non ebbero cacciato e schiacciato tutte le cavallette. Poi le spazzò via, le raccolse con la paletta e le mise nella stufa.

Papà rimase in casa il tempo di cenare, mentre Sam e David mangiavano a loro volta. Mamma non chiese cos'era successo al grano. Si limitò a sorridere e a dire: «Non preoccuparti, Charles. Ce la siamo sempre cavata».

Papà si schiarì la gola e mamma disse: «Prendi un'altra tazza di tè, Charles, ti aiuterà a liberarti dal fumo che hai in gola».

Dopo aver bevuto il tè, papà tornò al campo di grano con un altro carico di fieno e letame.

Dal loro letto, Laura e Mary sentivano ancora le cavallette ronzare, rosicchiare e masticare. Laura sentì delle zampe che le camminavano addosso. Non c'erano cavallette nel letto, ma non riusciva a togliersi di dosso quella sensazione. Nel buio vedeva gli occhi sporgenti delle cavallette e sentiva le loro zampe camminarle addosso. Poi, alla fine, si addormentò.

Il mattino dopo papà non era al piano di sotto. Aveva lavorato tutta la notte per mantenere il grano immerso nel fumo, e non era rientrato per colazione. Era ancora al lavoro.

L'intera prateria era irriconoscibile. L'erba non si muoveva. Giaceva a terra in piccoli mucchi. Quando sorse il sole, le ombre proiettate dall'erba spezzata e ammucchiata rendevano il paesaggio nudo.

I salici erano spogli. Nei boschetti di susini solo qualche nocciolo restava appeso ai rami. Il rumore delle cavallette che rosicchiavano, mordicchiavano e masticavano non era cessato.

Nel pomeriggio papà, con il carro, uscì dal fumo. Mise Sam e David nella stalla e lentamente entrò in casa. Il suo volto era nero di fumo e aveva gli occhi rossi. Appese il cappello al chiodo dietro la porta e sedette a tavola.

«È inutile, Caroline» disse «il fumo non le fermerà. Continuano ad arrivare, arrivano da tutte le parti. Il grano si sta spezzando. Lo tagliano come una falce. E lo mangiano, con il gambo e tutto».

Appoggiò i gomiti sul tavolo e si nascose il volto tra le mani. Laura e Mary sedevano immobili. Solo Carrie, sul seggiolone, agitava il cucchiaio e cercava di afferrare il pane con la manina. Era troppo piccola per capire.

«Stai tranquillo, Charles» disse mamma «abbiamo già attraversato altri momenti difficili».

Laura guardò, sotto il tavolo, gli stivali rattoppati di papà e sentì un groppo alla gola. Non avrebbe potuto comprarsene di nuovi.

Papà si tolse le mani dal viso e prese il coltello e la forchetta. La sua barba sorrideva ma gli occhi non brillavano. Erano spenti e opachi.

«Non preoccuparti, Caroline» disse «abbiamo fatto tutto quello che potevamo. In qualche modo ce la caveremo».

Allora Laura si ricordò che la casa nuova non era stata pagata. Papà aveva detto che l'avrebbe pagata dopo aver raccolto il grano.

Mangiarono in silenzio e, alla fine, papà si sdraiò a terra e si addormentò. Mamma gli infilò un cuscino sotto la testa e si mise il dito davanti alla bocca per dire a Laura e Mary di rimanere in silenzio.

Portarono Carrie in camera da letto e la tennero buona con le loro bambole di carta. L'unico suono udibile era quello delle cavallette che mangiavano.

Giorno dopo giorno, le cavallette continuarono a mangiare. Mangiarono tutto il grano e l'avena. Mangiarono tutto ciò che c'era di verde: tutto l'orto e tutta l'erba della prateria.

«Oh, Pa, come faranno i conigli?» chiese Laura «E i poveri uccelli?»

«Guardati intorno, Laura» disse papà. Tutti i conigli se n'erano andati. E anche i piccoli uccelli che stavano nell'erba. Gli uccelli rimasti mangiavano le cavallette. E le galline correvano con il collo teso, inghiottendone a volontà.

Quando venne la domenica papà, Laura e Mary andarono in chiesa. Il sole splendeva così limpido e caldo che mamma disse che sarebbe rimasta a casa con Carrie, e papà lasciò Sam e David all'ombra nella stalla. Non pioveva da così tanto tempo che Laura attraversò il ruscello camminando sulle pietre asciutte. Tutta la prateria era spoglia e scura. Milioni e milioni di cavallette ronzavano basse sopra di essa. Non si vedeva un solo filo d'erba.

Lungo tutta la strada, Laura e Mary scacciarono le cavallette. Quando arrivarono alla chiesa, avevano le sottogonne piene di cavallette. Si sollevarono la gonna e le scacciarono prima di entrare. Nonostante avessero fatto attenzione, le cavallette avevano macchiato i loro vestiti della domenica.

Quelle orribili macchie non se ne sarebbero più andate. Avrebbero dovuto indossare i vestiti macchiati.

Molta gente, in città, ripartiva verso Est. Christy e Cassie dovettero andare. Laura disse addio a Christy e Mary disse addio a Cassie, le loro migliori amiche.

Non andavano più a scuola. Dovevano conservare le scarpe per l'inverno e non riuscivano a camminare a piedi nudi sulle cavallette. La scuola sarebbe comunque finita presto, mamma disse che avrebbero studiato a casa durante l'inverno, in modo da non essere indietro quando la scuola avesse aperto nuovamente, la primavera successiva.

Papà lavorò per il signor Nelson, guadagnando il diritto di utilizzare il suo aratro. Cominciò ad arare il campo di grano ormai spoglio, per prepararlo al raccolto dell'anno successivo.

Uova di cavalletta

Un giorno Laura e Jack camminavano lungo il ruscello. A Mary piaceva rimanere seduta a leggere o a fare calcoli sulla lavagna, ma Laura ne era stufa. Fuori, del resto, era tutto così triste che non aveva nemmeno voglia di giocare.

Il ruscello era quasi in secca. Solo un filo d'acqua scorreva attraverso la sabbia ghiaiosa. I salici nudi non proiettavano più la loro ombra sulla passerella. Sotto i susini spogli l'acqua schiumava. Il vecchio granchio se n'era andato.

La terra era calda, la luce del sole rovente e il cielo aveva il colore dell'ottone. Il ronzio delle cavallette sembrava scaldare. Non si sentivano più buoni profumi.

Poi Laura vide una cosa strana. Su tutta la collina le cavallette sedevano con la coda infilata nella terra. Non si muovevano, nemmeno se le toccava.

Ne spinse una via dal buco sul quale era seduta e con un bastoncino tirò fuori una cosa grigia. Aveva la forma di un grosso verme, ma non si muoveva. Non sapeva cosa fosse. Jack lo annusò con aria interrogativa.

Laura si diresse verso il campo di grano per chiedere a papà. Ma papà non stava arando. Sam e David se ne stavano fermi, attaccati all'aratro e papà camminava guardando a terra. Poi Laura lo vide avvicinarsi all'aratro e tirarlo fuori dal solco. Se ne andò, riportando Sam e David nella stalla con l'aratro inutilizzato.

Laura sapeva che solo qualcosa di terribile avrebbe costretto papà a smettere di lavorare nel bel mezzo della mattina. Andò alla stalla più in fretta che poté. Sam e David erano nei box e papà stava appendendo le loro briglie inzuppate di sudore. Uscì e non sorrideva. Laura lo seguì lentamente fino a casa.

Mamma lo guardò e chiese: «Charles! Cosa succede adesso?»

«Le cavallette stanno deponendo le uova» disse papà. «Il terreno ne è pieno. Guarda il cortile davanti alla casa, vedrai i buchi dove hanno sotterrato le uova, a circa cinque centimetri di profondità. Ovunque. Non c'è spazio nemmeno per infilare un dito tra un uovo e l'altro. Guarda qui».

Prese una di quelle cose grigie dalla tasca e la tenne in mano.

«Eccone uno. Un guscio d'uovo di cavalletta. Ne ho aperti. Ci sono trentacinque-quaranta uova in un guscio. E c'è un guscio in ogni buco. Ci sono tre o quattro buchi per metro quadro, dappertutto, in tutta la campagna».

Mamma sedette su una sedia e lasciò cadere le braccia, inerti.

«Abbiamo tante probabilità di avere un raccolto il prossimo anno quante di imparare a volare» disse. «Quando le uova si schiuderanno, non rimarrà un solo filo d'erba in questa parte del mondo»

«Oh, Charles!» disse mamma «Cosa faremo?»

Papà si lasciò cadere su una panca e disse: «Non lo so».

Le trecce di Mary dondolavano oltre il bordo della botola mentre guardava giù, verso di loro. Guardò Laura con aria ansiosa e Laura la guardò a sua volta. Poi Mary si tirò indietro senza fare rumore. Rimase appoggiata al muro, accanto a Laura.

Papà si alzò. I suoi occhi cupi brillavano di una luce fiera, diversa dal luccichio che Laura vedeva di solito.

«Ma so una cosa, Caroline» disse. «Che delle maledette cavallette non possono piegarci! Faremo qualcosa, vedrai! Ce la faremo, in qualche modo»

«Sì, Charles» disse mamma.

«Perché no?» disse papà «Siamo in salute, abbiamo un tetto sopra la testa, stiamo meglio di un sacco di altra gente. Prepara da mangiare intanto, Caroline. Andrò in città. Troverò una soluzione. Non preoccuparti!»

Mentre papà era in città, mamma, Mary e Laura gli prepararono una cena speciale. Mamma scaldò il latte in un tegame e preparò delle belle palline di fiocchi di latte. Mary e Laura tagliarono delle patate bollite ormai fredde e mamma preparò una salsa per condirle. E poi c'erano pane, burro e latte.

Poi si lavarono i capelli e si pettinarono. Si misero i vestiti buoni e i nastri tra i capelli. Misero a Carrie il vestito bianco, la pettinarono e le legarono la collana di perline indiane intorno al collo. Poi aspettarono che papà risalisse lungo la collina ricoperta di cavallette.

Fu una cena gioiosa. Quando ebbero mangiato tutto, papà allontanò il suo piatto e disse: «Bene, Caroline»

«Sì, Charles?» disse mamma.

«Ecco qual è la soluzione» disse papà. «Partirò verso Est domani mattina»

«Oh, Charles, no!» gridò mamma.

«È tutto a posto, Laura» disse papà. Voleva dire: «Non piangere, Laura» e Laura non pianse.

«Laggiù è tempo di raccolto» disse loro papà. «Le cavallette sono arrivate solo a centocinquanta chilometri da qui. Più in là ci sono i raccolti. È l'unico modo per trovare un lavoro, e tutti gli uomini andranno a Est per ottenerne uno. Devo fare in fretta»

«Se pensi che sia la cosa migliore da fare» disse mamma «io e le ragazze possiamo cavarcela. Ma, Charles, sarà una camminata così lunga!»

«Macché! Cosa vuoi che siano trecento chilometri?» disse papà. Intanto, però, guardava i suoi stivali rattoppati. Laura sapeva che si stava chiedendo se avrebbero resistito fin laggiù. «Trecento chilometri non sono nulla» disse.

Poi tirò fuori il violino dalla scatola. Suonò a lungo nel crepuscolo, mentre Laura e Mary sedevano accanto a lui e mamma cullava Carrie poco lontano.

Suonò *Dixie land* e *We'll rally round the flag, boys!*; suonò *All the blue bonnets are over the border* e

Oh, Susanna, non piangere per me!
Me ne andrò in California
e il catino avrò con me!

Suonò *Arrivano i Campbell, urrà, urrà!* e *Amiamo la vita*, poi mise via il violino. Doveva andare a dormire presto, per alzarsi presto il mattino seguente.

«Prenditi cura del vecchio violino, Caroline» disse «mi scalda il cuore».

Dopo colazione, all'alba, papà le baciò e partì. La sua seconda camicia e un paio di calze erano arrotolati nel maglione, che portava appeso alla spalla. Appena prima di attraversare il Plum Creek, si voltò e salutò con la mano. Poi proseguì fino a scomparire, senza più voltarsi indietro. Jack se ne stava stretto contro la gamba di Laura.

Dopo la partenza di papà, rimasero tutte in silenzio per un po'. Poi mamma disse, allegramente: «Ora dobbiamo occuparci noi di tutto, ragazze. Mary e Laura, sbrigatevi a portare la mucca incontro alla mandria».

Entrò svelta in casa con Carrie, mentre Laura e Mary correvano a prendere Spot per tirarla fuori dalla stalla e portarla al di là del ruscello. Non c'era più erba nella prateria e le bestie affamate non potevano fare altro che aggirarsi lungo le rive del ruscello, mangiando germogli di salice, qualche foglia di susino e un po' d'erba secca dell'estate precedente.

Pioggia

Tutto era monotono e noioso senza papà. Laura e Mary non sapevano nemmeno contare i giorni che mancavano al suo ritorno. Non riuscivano a non pensare a tutta la strada che doveva percorrere con i suoi stivali rattoppati.

Jack se ne stava tranquillo, il suo naso stava diventando grigio. Spesso guardava la strada vuota lungo la quale papà si era incamminato, sospirava e si sdraiava continuando a guardare. Ma non sperava veramente che papà tornasse.

La prateria ormai morta, divorata, era piatta sotto il cielo rovente. L'orizzonte sembrava strisciare come un serpente. Turbini di polvere si alzavano e l'attraversavano roteando. Mamma diceva che erano causati dalle ondate di aria calda.

C'era ombra solo in casa. Non ce n'era sotto i salici né sotto i susini. Il ruscello era secco. C'era solo un po' d'acqua nei punti più profondi. Il pozzo era asciutto e la vecchia sorgente vicino alla casa scavata nella terra gocciolava appena. Mamma ci metteva un secchio sotto perché si riempisse durante la notte. Al mattino lo portava in casa e lo sostituiva con un altro, che si sarebbe riempito durante il giorno.

Dopo aver terminato i lavori del mattino mamma, Mary, Laura e Carrie sedevano in casa. Il vento rovente sibilava fuori e le bestie affamate muggivano in continuazione.

Spot era magra. Le ossa delle anche sporgevano, le si vedevano le costole e aveva gli occhi scavati. Andava in giro muggendo tutto il giorno, con il resto della mandria, in cerca di qualcosa da mangiare. Avevano mangiato tutti i piccoli cespugli in riva al ruscello e rosicchiato i rami di salice fin dove riuscivano ad arrivare. Il latte di Spot era amaro e ce n'era sempre meno, man mano che i giorni passavano.

Sam e David stavano nella stalla. Non potevano avere tutto il fieno che volevano perché la riserva doveva durare fino a primavera. Quando Laura li portava al ruscello, dove prima l'acqua era profonda, arricciavano il naso per via dell'acqua calda e schiumosa. Ma dovevano berla. Anche le mucche e i cavalli dovevano tenere duro.

Sabato pomeriggio Laura andò dai Nelson per vedere se era arrivata una lettera di papà. Camminò lungo il piccolo sentiero oltre la passerella. Il sentiero non si snodava più tra paesaggi piacevoli, andava dritto dal signor Nelson.

La casa era lunga e bassa, con le pareti imbiancate. La lunga stalla fatta di zolle aveva uno spesso tetto di paglia. Non somigliavano alla casa e alla stalla di papà.

Accoccolate a terra, ai piedi di un pendio, la casa e la stalla dei Nelson sembravano parlare norvegese.

All'interno la casa era perfettamente in ordine. Il grande letto era imbottito di piume, con grandi cuscini paffuti. Al muro era appeso un bel ritratto di signora vestita di blu. La spessa cornice era dorata e una zanzariera rosa chiaro copriva la donna e la cornice, per tener lontane le mosche.

Non c'erano lettere da papà. La signora Nelson disse che suo marito avrebbe chiesto nuovamente all'ufficio postale, il sabato successivo.

«Grazie, signora» disse Laura e si affrettò lungo il sentiero. Camminò lentamente lungo la passerella. Poi, sempre più lentamente, su per la collina.

Mamma disse: «Non importa, bambine. Ci sarà una lettera sabato prossimo».

Ma il sabato successivo non c'erano lettere.

Non andarono più al catechismo. Carrie non poteva camminare così a lungo ed era troppo pesante perché mamma potesse portarla in braccio. Laura e Mary dovevano fare attenzione alle scarpe. Non potevano andare a scuola a piedi nudi e, se avessero messo le scarpe, non le avrebbero più avute per l'inverno.

Quindi la domenica indossavano i loro vestiti buoni, ma non le scarpe o i nastri. Mary e Laura dicevano a mamma i loro versi, e lei leggeva loro la Bibbia.

Una domenica lesse della piaga delle locuste, tanto tempo fa, ai tempi della Bibbia. Le locuste erano cavallette:

"Esse invasero tutto l'Egitto e si posarono dappertutto. […]
Coprirono l'intera regione e oscurarono il cielo. Divorarono tutta la vegetazione del suolo e tutti i frutti degli alberi che erano stati risparmiati dalla grandine. In tutto l'Egitto il verde degli alberi e dei campi scomparve completamente[10]".

Laura sapeva quanto fosse vero. Quando ripeté questi versi pensò: "E anche in tutto il Minnesota".

Poi mamma lesse la promessa che Dio aveva fatto alla brava gente "di portarli via da lì, in una terra in cui scorrono latte e miele".

«Dov'è, mamma?» chiese Mary e Laura aggiunse: «Come possono scorrere latte e miele sulla terra?» Non voleva camminare nel latte, e neppure nel miele appiccicoso.

Mamma posò la grossa Bibbia sulle ginocchia e riflettè. Poi disse: «Ebbene, papà pensa che sia proprio qui, nel Minnesota»

«Come è possibile?»

---

10 Esodo, 10, 14-15. La versione italiana è tratta dalla *Bibbia in lingua corrente*, Edizioni Elledici, Roma, 1985 [n.d.t.].

«Forse sarà così, se teniamo duro» disse mamma. «Laura, se le mucche da latte avessero erba da mangiare, su questa terra ci sarebbe parecchio latte. In questa terra scorrerebbe il latte. Le api otterrebbero il miele dai fiori selvatici che crescono nella prateria e sulla terra scorrerebbe il miele»

«Oh» disse Laura «sono contenta che non dobbiamo camminarci dentro».

Carrie picchiò contro la Bibbia con i pugnetti e disse: «Ho caldo! Caldissimo!» Mamma la prese in braccio, ma lei la spinse via piagnucolando: «Sei calda!»

La pelle della povera piccola Carrie era tutta arrossata per via del caldo. Laura e Mary morivano dal caldo con le loro sottovesti, sottogonne e mutandoni, e con i loro vestiti a maniche lunghe e collo alto, con cinture strette intorno alla vita. Il collo soffocava sotto le trecce.

Carrie voleva bere, ma spinse via la tazza, fece una smorfia e disse: «Cattiva!»

«Dovresti bere» le disse Mary «anche io vorrei qualcosa di fresco, ma non ce n'è»

«Come vorrei bere l'acqua fresca del pozzo» disse Laura.

«Io vorrei un ghiacciolo» aggiunse Mary.

Poi Laura commentò: «Io vorrei essere un indiano e non dover indossare i vestiti»

«Laura!» disse mamma «E di domenica, per di più!»

Laura pensò: "Beh, io lo vorrei!" L'odore di legno in casa era caldo. Lungo le strisce marroni sulle tavole la resina colava appiccicosa, poi si seccava formando piccole perle gialle e dure. Il vento caldo sibilava incessantemente e le mucche muggivano tristemente: «*Muuu, muuu*». Jack si girò su un fianco e gemette in un lungo sospiro.

Anche mamma sospirò e disse: «Non so cosa darei per una boccata d'aria».

In quel preciso momento una boccata d'aria entrò in casa. Carrie smise di piagnucolare. Jack sollevò la testa. Mamma disse: «Bambine, avete...» e arrivò un'altra ventata d'aria fresca.

Mamma uscì dal lato del ripostiglio, la parte ombrosa della casa. Laura la seguì di corsa e Mary arrivò insieme a Carrie. Fuori era come un forno acceso. Ondate d'aria calda bruciavano il viso di Laura.

In cielo, a Nord-Est, c'era una nuvola. Era piccola nell'immenso cielo metallico. Ma era una nuvola. E proiettava una striscia d'ombra sulla prateria. L'ombra sembrava muoversi, ma forse erano solo le ondate di calore. No, si stava davvero avvicinando.

«Oh, per favore, per favore!» ripeté Laura tra sé, con tutte le sue forze. Rimasero tutte lì, con una mano sulla fronte per proteggersi gli occhi dal sole, a guardare quella nuvola e la sua ombra.

La nuvola si avvicinava sempre di più e diventava sempre più grande. Formava una striscia spessa e scura nell'aria sopra la prateria. I suoi bordi ribollivano e si gonfiavano in grossi sbuffi. Arrivarono ventate di aria fresca, e altre più calde che mai.

Su tutta la prateria turbini di polvere si levavano furiosi, roteando le loro estremità polverose. Il sole scottava ancora sulla casa, sulla stalla e sulla terra spaccata. L'ombra della nuvola era lontana.

All'improvviso un lampo bianco scese zigzagando, una tenda grigia cadde dalla nuvola e rimase appesa lì, nascondendo il cielo dietro di sé. Era la pioggia. Poi arrivò il rumore del tuono.

«È troppo lontano, bambine» disse mamma «temo che non arriverà fin qui. In ogni caso, l'aria è un po' più fresca».

L'odore di pioggia arrivava a tratti insieme all'aria fresca, in mezzo al vento caldo.

«Oh, forse verrà qui, Ma! Forse verrà!» disse Laura. Tra sé e sé, tutte ripetevano: «Dài, dài, dài!»

Il vento si era fatto più fresco. Pian piano l'ombra della nuvola crebbe. Adesso era grande nel cielo. All'improvviso un'ombra attraversò veloce la pianura, salì sulla collina, e infine arrivò la pioggia. Salì su per la collina come tanti piccoli piedini saltellanti e si riversò sulla casa, su mamma, Mary, Laura e Carrie.

«Entrate, presto!» esclamò mamma.

Nello sgabuzzino risuonava il rumore della pioggia che batteva sul tetto. L'aria fresca soffiava nel caldo soffocante della casa. Mamma aprì la porta d'ingresso. Legò le tende e aprì tutte le finestre.

Un odore nauseante veniva su dal suolo ma la pioggia, cadendo, lo spazzava via. La pioggia tamburellava sul tetto e scendeva lungo le grondaie. Ripuliva l'aria e la rendeva gradevole da respirare. L'aria fresca che circolava nella casa tolse quel senso di oppressione dalla testa di Laura e diede sollievo alla sua pelle.

Strisce di acqua fangosa scorrevano lungo il suolo indurito, colavano nelle crepe e le riempivano. Scendevano turbinando nei buchi delle uova di cavalletta e li riempivano di fango. Nel cielo la luce lampeggiava e il tuono rombava.

Carrie batteva le mani e gridava; Laura e Mary danzavano e ridevano. Jack scodinzolava e scorrazzava come un cucciolo. Guardava la pioggia da tutte le finestre, e quando il tuono scoppiava, lui gli ringhiava: «Non mi fai paura!»

«Credo che durerà fino al tramonto» disse mamma.

Poco prima del tramonto la pioggia si allontanò. Scese verso il ruscello, poi si diresse a Est attraverso la prateria. Cadevano ancora delle gocce che luccicavano al sole. Poi la nuvola divenne viola e rossa e ripiegò i suoi bordi dorati nel cielo limpido. Il sole tramontò e spuntarono le stelle. L'aria era fresca, la terra umida e riconoscente.

L'unica cosa che Laura desiderava era che papà fosse lì.

Il giorno successivo sorse un sole rovente. Il cielo sembrava di metallo e il vento scottava. Prima di sera tanti piccoli fili d'erba erano germogliati dalla terra.

Nel giro di pochi giorni una striscia verde si formò lungo la secca prateria. L'erba cresceva dove la pioggia era caduta, e le mucche affamate andavano lì a pascolare. Ogni mattina Laura legava Sam e David ai pioli, perché potessero mangiare anche loro l'erba fresca.

Le mucche smisero di lamentarsi. Le ossa di Spot non si vedevano più. Il suo latte tornò a essere buono, dolce e abbondante. La collina era di nuovo verde, e i salici e i susini stavano mettendo nuove foglioline.

La lettera

Per tutto il giorno Laura sentiva la mancanza di papà e la sera, quando il vento soffiava malinconico sulla terra buia, si sentiva triste e vuota.

All'inizio parlava di lui. Si chiedeva fin dove fosse arrivato quel giorno; sperava che i suoi vecchi stivali rattoppati avessero resistito; si domandava dove si sarebbe accampato quella notte. Poi smise di parlarne a mamma. Mamma pensava a lui tutto il tempo e non aveva voglia di parlarne. Non le piaceva nemmeno contare i giorni che mancavano al sabato.

«Il tempo passerà più in fretta» diceva «se pensiamo ad altro».

Ogni sabato speravano che il signor Nelson avesse trovato una lettera di papà all'ufficio postale in città. Laura e Jack si incamminavano lungo la strada della prateria per aspettare il carro del signor Nelson. Le cavallette avevano mangiato tutto e ora se ne andavano, non in una grossa nuvola come erano arrivate, ma in piccoli sciami. Restavano comunque milioni di cavallette.

Non c'erano lettere di papà. «Arriverà» diceva mamma.

Un giorno, mentre tornava su per la collina senza lettera, Laura pensò: "E se non arrivasse nessuna lettera?"

Cercò di non pensarci, ma fu inutile. Poi un giorno guardò Mary e capì che se lo stava chiedendo anche lei.

Quella notte Laura non poté più resistere. Chiese a mamma: «Mamma, Pa tornerà a casa, vero?»

«Certo che tornerà!» esclamò mamma. Laura e Mary capirono che anche mamma aveva paura che gli fosse successo qualcosa.

Forse i suoi stivali si erano rotti e stava camminando con fatica a piedi nudi. Forse un animale lo aveva attaccato. Forse un treno l'aveva investito. Non aveva preso la pistola. Forse i lupi l'avevano aggredito. Forse, in un bosco buio, una pantera gli era saltata addosso.

Il sabato seguente, nel pomeriggio, mentre Laura e Jack stavano partendo per andare incontro al signor Nelson, lo videro arrivare lungo la passerella. Aveva in mano qualcosa di bianco. Laura scese di corsa giù per la collina. Quella cosa bianca era una lettera.

«Oh, grazie! Grazie!» disse Laura. Corse a casa in fretta, senza fiato. Mamma stava lavando il viso a Carrie. Prese la lettera con le mani ancora umide e sedette.

«È di papà» disse. La sua mano tremava, riuscì a malapena a togliersi una forcina dai capelli. Aprì la busta e ne estrasse la lettera. La aprì. Dentro c'era una banconota.

«Papà sta bene» disse. Si mise il grembiule sulla faccia e pianse.

Il suo viso umido uscì dal grembiule raggiante di gioia. Continuò ad asciugarsi le lacrime mentre leggeva la lettera a Mary e Laura.

Papà aveva dovuto camminare per quasi cinquecento chilometri prima di trovare un lavoro. Ora lavorava nei campi di grano e guadagnava un dollaro al giorno. Ne aveva mandati cinque a mamma e ne aveva tenuti tre per gli stivali nuovi. Il raccolto era buono laggiù, e se mamma e le bambine se la cavavano da sole, sarebbe rimasto fino alla fine del lavoro.

Loro sentivano la sua mancanza e volevano che tornasse a casa. Ma era al sicuro, e aveva degli stivali nuovi. Quello fu un giorno molto felice per tutte.

L'ora più buia è prima dell'alba

Ora il vento era più fresco e il sole non scottava più così tanto a mezzogiorno. Le mattine erano fresche e le cavallette saltavano debolmente finché il sole non le aveva scaldate. Un mattino una spessa gelata coprì il terreno. Copriva ogni cosa di un velo bianco e bruciava i piedi scalzi di Laura. C'erano milioni di cavallette completamente immobili.

Nel giro di pochi giorni non ne restò più nemmeno una.

L'inverno era vicino e papà non era ancora tornato. Il cielo era grigio e cadeva una pioggia grigia e fredda. La pioggia si trasformò in neve, e papà era ancora lontano.

Laura ormai doveva indossare le scarpe per uscire. Le facevano male ai piedi. Non sapeva perché. Quelle scarpe non le avevano mai fatto male prima. Anche a Mary le sue scarpe facevano male.

Il legno che papà aveva tagliato era finito e Laura e Mary raccoglievano i pezzetti che trovavano in giro. Il freddo pizzicava loro il naso e le dita, mentre raccoglievano gli ultimi pezzetti dal suolo ghiacciato. Avvolte negli scialli, andavano a cercarlo sotto i salici, raccogliendo i rametti secchi che facevano un misero fuocherello.

Poi un giorno la signora Nelson venne a trovarle. Aveva portato con sé la sua piccola Anna.

144

La signora Nelson era bella e formosa. I suoi capelli erano dorati come quelli di Mary e aveva gli occhi blu. Quando rideva, e lo faceva spesso, mostrava due file di denti bianchissimi. A Laura piaceva la signora Nelson, ma non era contenta di vedere Anna.

Anna era un po' più grande di Carrie, però non capiva nulla di quel che Laura e Mary dicevano, e loro non riuscivano a capirla. Parlava norvegese. Non era divertente parlare con lei. Durante l'estate Mary e Laura andavano al ruscello quando la Signora Nelson e Anna venivano a trovarle. Ma adesso faceva freddo. Dovevano restare a casa e giocare con Anna. L'aveva detto mamma.

«Bambine» aveva detto «andate a prendere le vostre bambole e giocate con Anna».

Laura prese la scatola delle bambole che mamma aveva ritagliato dalla carta da regalo e sedettero insieme sul pavimento vicino alla porta aperta. Quando vide le bambole di carta, Anna rise. Infilò la mano nella scatola, ne afferrò una e la strappò in due.

Laura e Mary inorridirono. Carrie le guardava con gli occhi spalancati. Mamma e la signora Nelson stavano parlando e non videro Anna, che agitava ridendo le due metà della bambola di carta. Laura rimise il coperchio sulla scatola, ma dopo un po' Anna, stanca della bambola strappata, ne volle un'altra. Laura non sapeva cosa fare e nemmeno Mary.

Se non otteneva ciò che voleva, Anna si metteva a piangere. Era piccola ed era loro ospite: non dovevano farla piangere. Ma se avesse preso le bambole di carta, le avrebbe strappate tutte.

Allora Mary disse sottovoce: «Vai a prendere Charlotte, non potrà romperla».

Laura corse su per la scala, mentre Mary teneva Anna tranquilla. La sua cara Charlotte era sdraiata nella scatola, nel sottotetto. Sorrideva con la sua bocca di lana rossa e con i suoi occhi fatti di bottoni. Laura la prese con cura, le lisciò i capelli ondulati di lana nera e la gonna.

Charlotte non aveva piedi, e le sue mani erano cucite alle estremità delle braccia, perché era una bambola di pezza. Ma Laura l'amava molto.

Charlotte apparteneva a Laura da una mattina di Natale di tanto tempo prima, quando vivevano nei Grandi Boschi del Wisconsin.

Laura la portò giù per la scala e Anna la reclamò urlando. Con molta attenzione, Laura diede Charlotte ad Anna. Anna la strinse forte. Un abbraccio non l'avrebbe rotta. Laura guardava con aria ansiosa mentre Anna tirava i bottoni che formavano gli occhi e tirava i capelli di lana, e la sbatteva persino sul pavimento. Ma non poteva farle male. Laura le avrebbe risistemato la gonna e i capelli, quando Anna fosse andata via.

Alla fine quella lunga visita si concluse. La signora Nelson stava andando a casa, portando Anna con sé. Poi accadde una cosa terribile. Anna non voleva lasciare Charlotte. Forse pensava che la bambola fosse sua. Forse la mamma le aveva detto che Laura glie l'aveva regalata. La signora Nelson sorrise. Laura cercò di prendere Charlotte e Anna urlò.

«Voglio la mia bambola!» disse Laura.

«Per favore, Laura» disse mamma. «Anna è piccola, ed è nostra ospite. Ormai sei grande per giocare con le bambole. Dovresti dargliela».

Laura dovette obbedire. Rimase alla finestra, a guardare Anna che saltellava giù per la collina tenendo Charlotte per un braccio.

«Per favore, Laura» disse di nuovo mamma «una bambina grande come te che fa il muso per via di una bambola di pezza. Smetti subito. Non ti interessa quella bambola, non ci giocavi mai. Non essere egoista».

Laura salì su per la scala e sedette sulla sua cassetta, vicino alla finestra. Non pianse, ma era molto triste perché Charlotte se n'era andata. Papà era lontano, e la scatola di Charlotte era vuota. Il vento continuava a fischiare nelle grondaie. Tutto era freddo e vuoto.

«Mi dispiace, Laura» disse mamma quella sera. «Non avrei dato via la tua bambola se avessi saputo che ci tenevi così tanto. Ma non dobbiamo pensare solo a noi. Pensa a quanto hai reso felice Anna».

La mattina dopo il signor Nelson arrivò con un carico di legna che papà aveva tagliato. Lavorò tutto il giorno per farla a pezzi e la pila di legna fu di nuovo bella alta.

«Vedi come è gentile con noi il signor Nelson?» disse mamma «I Nelson sono davvero dei buoni vicini. Ora non sei felice di aver dato la tua bambola ad Anna?»

«No, Ma» disse Laura. Il suo cuore piangeva per papà e per Charlotte.

La pioggia fredda cadde ancora e arrivarono le gelate. Non avevano più ricevuto lettere da papà. Mamma pensava che fosse in cammino verso casa. La notte, Laura ascoltava il vento e si chiedeva dove fosse papà.

Spesso, al mattino, la pila di legna era piena di neve e papà non era ancora tornato. Ogni sabato pomeriggio Laura indossava calze e scarpe, si avvolgeva in un grosso scialle e andava dai Nelson.

Bussava e chiedeva se il signor Nelson aveva una lettera per mamma. Non entrava. Non voleva vedere Charlotte lì. Il signor Nelson diceva che non c'erano lettere, Laura ringraziava e tornava a casa.

Un giorno, durante un temporale, Laura vide qualcosa nell'aia dei Nelson. Rimase immobile a guardare. Era Charlotte, buttata in una pozzanghera ghiacciata. Anna l'aveva gettata via.

Laura arrivò a stento alla porta. Riuscì appena a parlare alla signora Nelson. La signora disse che, a causa del cattivo tempo, suo marito non era potuto andare in città, ma che ci sarebbe andato di sicuro la settimana successiva. Laura disse: «Grazie, signora» e si voltò.

La pioggia mista a neve scendeva su Charlotte. Anna le aveva staccato i bei capelli ondulati, che penzolavano molli. La sua bocca sorridente di lana era stata strappata e sembrava sanguinare lungo la guancia. Uno dei bottoni che formavano gli occhi era sparito. Ma era Charlotte.

Laura la raccolse e se la nascose sotto lo scialle. Corse a casa, ansimando, contro il forte vento e il nevischio. Quando la vide, mamma si spaventò:

«Cosa c'è? Cosa è successo? Dimmi!» disse.

«Il signor Nelson non è andato in città» rispose Laura «ma... guarda, mamma»

«Cosa?»

«È Charlotte» disse Laura. «L'ho rubata. Non m'importa, Ma, l'ho rubata!»

«Calma, calma, non ti agitare» disse mamma «vieni qui e raccontami tutto». Si sedette sulla sedia a dondolo e prese Laura sulle ginocchia.

Conclusero che Laura non aveva fatto nulla di male riprendendosi Charlotte. La bambola aveva vissuto un'esperienza terribile, ma Laura l'aveva salvata e mamma aveva promesso di rimetterla a nuovo.

Mamma staccò i capelli penzolanti, i pezzetti della bocca, l'occhio rimasto e tutto il viso. Scongelarono Charlotte e la strizzarono. Mamma la lavò per bene e la stirò mentre Laura sceglieva, dalla scatola del cucito, un nuovo viso rosa e dei bottoni per gli occhi.

Quella sera, quando Laura andò a dormire, coricò Charlotte nella sua scatola. Charlotte era pulita e stirata, la sua bocca rossa sorrideva, gli occhi neri scintillavano, e aveva capelli di un marrone dorato raccolti in due piccole trecce e legati con fiocchi di lana blu.

Laura si addormentò, accoccolata accanto a Mary, sotto le coperte patchwork. Il vento fischiava e il nevischio batteva sul tetto. Faceva talmento freddo che Laura e Mary si coprirono anche la testa.

Le svegliò uno schianto terribile. Si spaventarono, al buio sotto le coperte. Poi sentirono una voce forte al piano di sotto: «Accidenti, ho fatto cadere tutta la legna!»

Mamma stava ridendo: «L'hai fatto apposta, Charles, per svegliare le bambine».

Laura saltò fuori dal letto, volò urlando giù per la scala e si gettò tra le braccia di papà. Così fece anche Mary. Poi fu tutto un gran rumore di voci, risate e salti di gioia.

Gli occhi blu di papà brillavano. I suoi capelli erano dritti sulla testa. Indossava un paio di stivali nuovi. Aveva camminato per trecento chilometri, dalla parte Est del Minnesota. Aveva camminato durante la notte, nel mezzo della tempesta, ed eccolo qui!

«Bambine, siete ancora in camicia da notte!» disse mamma «Andate a vestirvi. La colazione è quasi pronta».

Si vestirono più in fretta che mai. Si precipitarono giù per la scala e abbracciarono papà. Jack girava su se stesso e Carrie batteva il cucchiaio sul tavolo cantando: «Pa è tornato! Pa è tornato!»

Infine si misero tutti a tavola. Papà disse che era stato troppo occupato per scrivere ancora. Disse: «Ci facevano lavorare con la trebbiatrice da prima dell'alba fino a dopo il tramonto. E quando sono partito non ho voluto fermarmi per scrivere, né per comprare dei regali. Non ne ho portati, ma ho i soldi per comprarne»

«Il più bel regalo che potevi farci, Charles, è il tuo ritorno» gli disse mamma.

Dopo colazione papà andò a vedere gli animali. Andarono tutti con lui e Jack gli stava appiccicato. Papà era felice di vedere che Sam, David e Spot stavano bene. Disse che lui stesso non avrebbe potuto fare meglio. Mamma gli disse che Mary e Laura le erano state di grande aiuto.

«Accidenti!» disse papà «Che bello essere a casa!» Poi chiese: «Laura, cos'hai ai piedi?»

Laura se n'era dimenticata. Riusciva a camminare senza zoppicare, quando ci pensava: «Le scarpe mi fanno male, Pa».

A casa, papà sedette e prese Carrie sul ginocchio. Poi si chinò e tastò le scarpe di Laura.

«Ahi! Le dita sono tutte strette!» esclamò Laura.

«Lo sono eccome!» disse papà «I piedi sono cresciuti dallo scorso inverno. E i tuoi, Mary?»

Mary disse che anche le sue scarpe erano strette.

«Togliti le scarpe, Mary» disse papà «Laura, mettile tu».

Le scarpe di Mary non stringevano i piedi di Laura. Erano scarpe buone, senza uno strappo o un buco.

«Saranno come nuove, una volta che le avrò lucidate» disse papà. «Servono scarpe nuove per Mary. Laura può prendere le sue e Carrie porterà quelle di Laura, quando sarà cresciuta. Non ci vorrà molto. Cos'altro serve, Caroline? Pensa a ciò di cui abbiamo bisogno, e prenderemo quello che possiamo. Appena avrò attaccato i cavalli andremo tutti in città!»

In città

Si sbrigarono a vestirsi. Indossarono i loro migliori abiti invernali e, avvolti in scialli e cappotti, salirono sul carro. Il sole splendeva e
l'aria gelida pizzicava il naso. La neve ghiacciata luccicava a terra.

Papà era sul sedile del carro, con mamma e Carrie accoccolate
accanto. Nel retro del carro Laura e Mary, ciascuna protetta dal suo
scialle, si erano avvolte insieme in una coperta. Jack sedette davanti
alla porta e li guardò andar via. Sapeva che sarebbero tornati presto.

Persino Sam e David sembravano aver capito che era tutto a posto,
ora che papà era di nuovo a casa. Trottavano allegramente, finché
papà disse: «*Ooooh!*» e li legò davanti al negozio del signor Fitch.

Prima papà pagò al signor Fitch parte di quello che gli doveva
per le tavole con cui aveva costruito la casa. Poi pagò per la farina
e lo zucchero che il signor Nelson aveva portato a mamma mentre
lui era via. Poi contò il denaro rimasto e lui e mamma comprarono
le scarpe per Mary.

Le scarpe nuove erano così belle e scintillanti ai piedi di Mary…
Laura trovò ingiusto che lei fosse la più grande. Le scarpe di Mary
sarebbero sempre andate a Laura, e lei non avrebbe mai avuto scarpe nuove. Poi mamma disse: «Ora, un vestito per Laura».

Laura corse al banco, da mamma. Il signor Fitch stava tirando
giù dei rotoli di meravigliosi tessuti in lana.

L'inverno precedente mamma aveva scucito, per ingrandirlo, il vestito invernale di Laura. Ora era davvero troppo corto, e c'erano buchi nelle maniche, all'altezza dei gomiti, perché era anche troppo stretto. Mamma li aveva rattoppati e il rammendo non si vedeva, ma Laura si sentiva striminzita in quel vestito rattoppato. Eppure non immaginava di poterne avere uno nuovo.

«Cosa ne pensi di questa flanella marrone, Laura?» chiese mamma.

Laura non riuscì a parlare. Il signor Fitch disse: «Le assicuro che le starà bene».

Mamma stese alcune piccole fasce rosse sul tessuto marrone e disse: «Metterei tre file di queste intorno al collo, ai polsini e alla vita. Cosa ne pensi, Laura? Starebbero bene?»

«Oh, sì, Ma!» disse Laura. Alzò gli occhi e i suoi incrociarono quelli, azzurri, di papà.

«Prendili, Caroline» disse papà. Il signor Fitch misurò la bella flanella marrone e le fasce rosse.

Anche Mary aveva bisogno di un vestito, ma non aveva trovato nulla che le piacesse. Così attraversarono la strada e andarono al negozio del signor Oleson. Lì trovarono della flanella blu scuro e delle larghe fasce dorate: proprio quello che cercava Mary.

Mary e Laura stavano ammirando il tessuto mentre il signor Oleson lo misurava, quando arrivò Nellie Oleson. Indossava una mantellina di pelliccia.

«Ciao!» disse. E annusò la flanella blu. Disse che andava bene per la gente di campagna. Poi si voltò per mostrare la sua pelliccia e disse: «Guardate cos'ho, *io*!»

Loro la guardarono e Nellie chiese: «Non vorresti una mantella di pelliccia, Laura? Ma tuo padre non può comprartela. Tuo padre non ha un negozio».

Laura non osò darle un manrovescio. Era così furiosa che non riuscì a parlare. Le voltò le spalle e Nellie se ne andò ridendo.

Mamma stava comprando del tessuto caldo per fare una mantella a Carrie. Papà comprava fagioli, farina, farina di mais, sale, zucchero e tè. Poi fece riempire il bidone di cherosene e si fermò all'ufficio postale. Era pomeriggio e faceva sempre più freddo, così papà spronò Sam e David, che trottarono spediti fino a casa.

Dopo aver lavato e messo a posto i piatti della cena, mamma aprì i pacchetti e tutti guardarono con piacere il loro contenuto e le stoffe per fare i vestiti.

«Li cucirò più in fretta che posso, bambine» disse mamma. «Ora che papà è tornato andremo di nuovo alle lezioni di catechismo»

«Dov'è quel tessuto grigio che hai preso per te, Caroline?» chiese papà. Mamma arrossì e abbassò la testa mentre papà la guardava. «Vuoi dire che non l'hai preso?» disse lui.

Mamma rispose: «E che mi dici del tuo nuovo cappotto, Charles?»

Papà sembrava a disagio: «Lo so, Caroline, ma non ci sarà nessun raccolto il prossimo anno, quando le uova delle cavallette si schiuderanno, e sarà difficile trovare un lavoro fino al prossimo raccolto. Il mio vecchio cappotto andrà benissimo»

«Ho pensato la stessa cosa» disse mamma, sorridendogli.

Dopo cena, quando scese il buio e si accesero le lampade, papà tirò fuori il violino dalla sua scatola e si mise a suonare.

«Mi è mancato tutto questo» disse guardandosi intorno. Poi cominciò. Suonò *When Johnnie comes marching home* e *The sweet little girl, the girl I left behind me*. Suonò e cantò *My old Kentucky home* e *Swanee river*. Poi tutti cantarono con lui:

Possiamo vagare tra piaceri e palazzi,
ma, per quanto umile, nessun posto è come casa propria.

La sorpresa

Ci fu un altro inverno mite, senza troppa neve. Era ancora il tempo delle cavallette. Ma i venti freddi soffiavano, il cielo era grigio e il posto migliore per le bambine era la loro comoda casa.

Papà era rimasto fuori tutto il giorno. Aveva trasportato i tronchi e li aveva tagliati per farne legna da ardere. Aveva seguito il ruscello ghiacciato risalendolo fino a una zona disabitata e, lungo le rive, aveva sistemato trappole per i topi muschiati, le lontre e i visoni.

Ogni mattina Laura e Mary studiavano i loro libri e facevano calcoli sulla lavagna. Ogni pomeriggio mamma le interrogava. Diceva che erano brave allieve ed era sicura che al ritorno a scuola sarebbero state al passo con il resto della classe.

Ogni domenica andavano al catechismo. Laura vide Nellie Oleson che ostentava la sua mantella di pelliccia. Ricordò ciò che Nellie aveva detto a proposito di papà e si sentì bruciare dentro. Sapeva che quella sensazione era cattiva. Sapeva che avrebbe dovuto perdonare Nellie, o non sarebbe mai diventata un angelo. Pensava intensamente alle immagini di quei begli angeli nella grande Bibbia ricoperta di carta che avevano a casa. Gli angeli indossavano lunghe camicie da notte bianche. Nessuno di loro aveva una mantella di pelliccia.

Il giorno in cui dall'Est del Minnesota arrivò il reverendo Alden, per predicare nella loro chiesa, fu una domenica felice. Durante la lunga predica Laura guardava i suoi dolci occhi azzurri e la sua barba ondeggiante. Sperava che le avrebbe parlato dopo la predica, e così fece.

«Ecco le mie ragazze di campagna, Mary e Laura!» disse. Ricordava i loro nomi.

Quel giorno Laura indossava il suo vestito nuovo. La gonna era della lunghezza giusta, e anche le maniche. Questo faceva sembrare il suo cappotto ancora più corto, ma le fasce rosse sui polsini erano belle.

«Che bel vestito nuovo, Laura!» disse il reverendo Alden.

Quel giorno Laura fu sul punto di perdonare Nellie.

Poi vennero le domeniche in cui il reverendo Alden rimaneva alla sua chiesa lontana. Al catechismo Nellie Oleson si voltò verso Laura, poi si avvolse nella sua mantella di pelliccia. Laura si sentì di nuovo ribollire.

Un pomeriggio mamma disse che non avrebbero fatto lezione e che dovevano prepararsi per andare in città quella sera. Laura e Mary erano stupite:

«Ma non andiamo mai in città di sera!» disse Mary.

«C'è sempre una prima volta» disse mamma.

«Perché, Ma?» chiese Laura «Perché andiamo in città di sera?»

«È una sorpresa» disse mamma. «Ora basta domande: dobbiamo lavarci e farci belli».

Nel bel mezzo della settimana mamma portò in casa il catino e scaldò l'acqua per il bagno di Mary, poi per quello di Laura e infine per Carrie. Si lavarono e si strofinarono per bene, si cambiarono mutandoni e sottoveste, spazzolarono le scarpe e intrecciarono i capelli, legandoli con i nastri, continuando a chiedersi il perché.

La cena era anticipata. Dopo mangiato, papà fece il bagno in camera da letto. Laura e Mary misero i loro vestiti nuovi. Sapevano di non dover fare altre domande, ma bisbigliavano tra loro, incuriosite.

Il carro era pieno di paglia pulita. Papà fece salire Mary e Laura e le avvolse in delle coperte. Salì sul sedile accanto a mamma e si diresse verso la città.

Le stelle erano piccole e gelate nel cielo nero. Gli zoccoli dei cavalli scalpitavano e il carro scricchiolava sulla terra dura.

Papà sentì qualcosa. Disse «*Oooh!*» tirando le redini e Sam e David si fermarono. Non c'era altro che il freddo, vasto, immobile buio punteggiato di stelle. Poi il silenzio sbocciò in un suono meraviglioso.

Due chiare note suonarono, ancora e ancora. Nessuno si mosse. Si sentiva solo il respiro di Sam e David e il tintinnio dei loro morsi che si scontravano. Quelle due note continuarono, forti e chiare, dolci e basse. Sembrava che fossero le stelle a cantare.

Poi, troppo presto, mamma mormorò: «Faremmo meglio ad andare, Charles» e il carro riprese a scricchiolare. Nonostante lo scricchiolio, Laura poteva ancora sentire quelle note ondeggianti.

«Cos'è, Pa?» chiese. E papà disse: «È la nuova campana della chiesa». Poi Laura esclamò: «Oh, guardate la chiesa! Com'è bella!»

La chiesa era tutta illuminata. La luce usciva dalle finestre e splendeva nel buio, quando la porta si apriva per lasciar entrare qualcuno. Laura fu sul punto di saltar fuori dalle coperte, poi ricordò che non doveva mai alzarsi in piedi nel carro mentre i cavalli erano in movimento.

Papà guidò fino alla scalinata della chiesa e aiutò tutti a scendere. Disse loro di entrare, ma aspettarono, al buio, che coprisse Sam e David. Quando le ebbe raggiunte, entrarono in chiesa tutti insieme.

Laura rimase a bocca aperta e a occhi spalancati davanti a ciò che vide. Strinse forte la mano di Mary e insieme seguirono mamma e papà. Quando furono seduti, Laura poté osservare con attenzione.

Di fronte alle panche affollate c'era un albero. Laura pensò che doveva trattarsi di un albero. Si vedevano il tronco e i rami. Ma non aveva mai visto quell'albero prima.

Dove in estate ci sarebbero state le foglie, c'erano mazzolini e strisce di carta verde e tanti sacchettini fatti di tulle rosa. Laura era praticamente sicura di vedere delle caramelle al loro interno. Dai rami penzolavano pacchettini avvolti nella carta colorata: pacchetti rossi, rosa, gialli, tutti legati con un nastro colorato. Sciarpe di seta erano avvolte tutto intorno. Un paio di muffole rosse pendevano da un ramo, attaccate con la cordicella che, quando le si indossano, si fa passare dietro al collo per evitare di perderle. Delle scarpe nuove erano appese per i tacchi. E tutto intorno erano avvolte ghirlande bianche di popcorn.

Appoggiate all'albero c'erano altre cose. Laura vide un asse zigrinato per lavare i panni, una tinozza di legno, una zangola con lo stantuffo[11], una slitta fatta con tavole di legno nuove e una forca dal manico lungo.

Laura era troppo eccitata per parlare. Strinse la mano di Mary sempre più forte e guardò mamma, con il desiderio di sapere di cosa si trattasse. Mamma la guardò e rispose: «Quello è un albero di Natale, bambine. Lo trovate bello?»

Non poterono rispondere. Annuirono con la testa mentre continuavano a guardare quell'albero meraviglioso. Non erano nemmeno tanto sorprese nell'apprendere che era il giorno di Natale: non l'aspettavano, perché non c'era molta neve. Allora Laura vide la meraviglia più grande di tutte. Da un ramo di quell'albero pendeva una piccola mantella di pelliccia, con un manicotto abbinato!

---

11 Recipiente in legno di forma cilindrica utilizzato per fare il burro.

Il reverendo Alden era lì. Nella sua predica parlò del Natale, ma Laura stava guardando l'albero e non sentì ciò che diceva. Tutti si alzarono per cantare e Laura si alzò, ma non riuscì a cantare. Non un singolo suono uscì dalla sua bocca. In tutto il mondo non poteva esistere un negozio splendido come l'albero che avevano davanti agli occhi.

Dopo i canti il signor Tower e il signor Beadle cominciarono a prendere gli oggetti appesi e a leggere i nomi dei destinatari. Il signor Tower e la signorina Beadle li portavano tra le panche e li davano alla persona di cui avevano letto il nome. Tutti gli oggetti appesi all'albero erano regali di Natale!

Quando Laura lo capì, le luci, le persone, le voci, e persino l'albero, cominciarono a girare su se stessi. Giravano sempre più veloci, sempre più rumorosi, sempre più eccitati. Qualcuno le diede un sacchettino di tulle rosa. C'erano delle caramelle dentro e una grossa palla di pop corn. Anche Mary ne ricevette una, e così Carrie. Tutti i bambini e le bambine ne ricevettero una. Poi Mary ricevette un paio di muffole blu e Laura un paio rosse.

Mamma aprì un grosso pacco, dove c'era un grande scialle caldo, marrone e rosso, per lei. Poi Carrie ebbe una bambola di stoffa con la testa di porcellana. Urlò di gioia. In mezzo alle risate, al vociare e al fruscio della carta, il signor Beadle e il signor Tower continuavano a urlare i nomi.

La mantellina di pelliccia e il manicotto erano ancora appesi all'albero e Laura li voleva. Voleva guardarli più a lungo che poteva. Voleva sapere per chi erano. Non potevano essere per Nellie Oleson, che aveva già una mantella di pelliccia.

Laura non si aspettava nulla di più, ma a Mary arrivò un bel libretto con immagini della Bibbia da parte del signor Tower.

Il signor Tower prese la mantellina di pelliccia e il manicotto dall'albero. Lesse un nome, ma Laura non riuscì a sentirlo in mezzo a tutti quei rumori festosi. Perse di vista la mantella e il manicotto in mezzo alla gente. Erano andati.

Poi a Carrie arrivò un cagnolino di porcellana, bianco a chiazze marroni. Ma Carrie aveva la bambola in mano, così Laura lo prese, lo accarezzò e rise per via di quel cane tutto liscio.

«Buon Natale, Laura!» disse la signorina Beadle, e mise in mano a Laura una bella scatolina. Era fatta di porcellana lucida, bianca come la neve. Sopra c'era una piccola teiera dorata e una piccola tazza, anch'essa dorata, su un piattino dorato.

Il coperchio si poteva sollevare. All'interno c'era spazio per mettere una spilla, se un giorno Laura ne avesse avuta una. Mamma disse che era un portagioie.

Non avevano mai trascorso un Natale come quello. Era un Natale così grande, così ricco: tutta la chiesa era piena di Natale. C'erano tante luci, tante persone, tanto rumore e tante risate, e tanta felicità lì dentro.

A Laura sembrava di essere sul punto di esplodere. Come se quel Natale, così grande e così ricco, fosse dentro di lei. Le muffole e il suo bel portagioie, con la tazzina dorata, il piattino e la teiera, e le caramelle, e la palla di pop corn. All'improvviso qualcuno disse: «Questi sono per te, Laura».

La signora Tower, sorridente, le porgeva la mantellina e il manicotto.

«Per me?» disse Laura «Per me?» e tutto il resto svanì, mentre stringeva a sé le morbide pellicce.

Le strinse forte, cercando di convincersi che quella soffice mantella di pelliccia marrone e quel manicotto fossero davvero suoi.

Tutto intorno il Natale proseguiva, ma Laura non pensava ad altro che alla morbidezza di quelle pellicce. La gente cominciava a tornare a casa. Carrie era in piedi sulla panca, mentre mamma le abbottonava il cappotto e le sistemava il cappuccio. Mamma disse: «Grazie per lo scialle, fratello Alden, era proprio ciò di cui avevo bisogno».

Papà continuò: «E grazie per la sciarpa. Mi servirà quando andrò in città, ora che fa freddo». Il reverendo Alden sedette sulla panca e chiese: «E il cappotto di Mary va bene?»

Laura non si era accorta che Mary aveva ricevuto un cappotto. Lo aveva addosso, era di un colore blu scuro. Era lungo, e le maniche le coprivano i polsi. Mary lo abbottonò. Andava bene.

«E cosa ne pensa questa ragazzina delle sue pellicce?» chiese il reverendo Alden sorridendo. Tirò Laura verso di sé, le mise la mantellina sulle spalle e la legò all'altezza della gola. Poi le mise il cordino del manicotto intorno al collo, e Laura mise le mani all'interno.

«Ecco!» disse il reverendo Alden «Ora le mie ragazze di campagna saranno al caldo quando verranno al catechismo, la domenica»

«Come si dice, Laura?» chiese mamma, e il reverendo disse: «Non ce n'è bisogno. La luce nei suoi occhi è più che sufficiente».

Laura non riusciva a parlare. La pelliccia marrone le avvolgeva il collo e le spalle. Sul davanti, copriva i lacci che chiudevano il suo cappotto. Il manicotto le copriva completamente i polsi, nascondendo le maniche troppo corte del cappotto.

«È un uccellino marrone bordato di rosso» disse il reverendo.

Laura rise. Era vero. I suoi capelli e il cappello, il vestito e le meravigliose pellicce erano marroni. Il cappuccio, le muffole e le fasce che ornavano il vestito erano rosse.

«Racconterò di questo uccellino alle persone della mia chiesa dell'Est» disse il reverendo. «Quando ho parlato loro di questa chiesa, mi hanno detto che avrebbero mandato dei regali per l'albero di Natale. Hanno dato ciò che avevano. Le bambine hanno regalato le tue pellicce e il cappotto di Mary perché erano ormai troppo piccoli per loro»

«Grazie, signore» disse Laura «e per favore, le ringrazi da parte nostra». Quando riuscì a parlare, fu educata quanto Mary.

Poi dissero tutti "Buona notte" e "Buon Natale" al reverendo Alden. Mary era bellissima, con il suo cappotto nuovo. Carrie era tanto carina, in braccio a papà. Papà e mamma sorridevano felici e Laura era piena di gioia.

Anche il signore e la signora Oleson stavano tornando a casa. Le braccia del signor Oleson erano piene di roba e così anche quelle di Nellie e Willie. Laura non era più arrabbiata, ma era soddisfatta per la sua rivincita.

«Buon Natale, Nellie» disse Laura.

Nellie la guardò passare lentamente, con le mani infilate al caldo nel morbido manicotto. La sua mantellina era più bella e Nellie non ce l'aveva, il manicotto.

La marcia delle cavallette

Dopo Natale ci furono alcune domeniche di neve, ma papà fece uno slittino di rami di salice e andarono tutti al catechismo, avvolti nei loro nuovi cappotti e pellicce, scialli e sciarpe.

Una mattina papà disse che stava soffiando un vento caldo proveniente da Nord-Ovest. In un giorno fece sciogliere tutta la neve e il ruscello tornò a scorrere. Arrivò la pioggia, che cadde giorno e notte. Il ruscello scrosciava, gonfiandosi al centro, e scivolava vorticando lungo le basse sponde.

Poi l'aria si addolcì e il ruscello si calmò. All'improvviso i susini e i salici sbocciarono e le nuove foglie germogliarono. La prateria era verde e Mary, Laura e Carrie correvano scalze su quel tappeto morbido.

Ogni giorno era più caldo del precedente, finché non venne la calda estate. Era arrivato il momento, per Laura e Mary, di tornare a scuola. Ma quell'anno non ci andarono, perché papà doveva ripartire e mamma voleva che rimanessero con lei. Soffiavano venti caldi e secchi e non pioveva mai.

Un giorno, rientrando per cena, papà disse: «Le uova si stanno schiudendo. Con questo caldo le cavallette escono dal guscio e spuntano dal terreno come funghi».

Laura uscì a vedere. L'erba sulla collina era punteggiata da piccole creature verdi. Ne prese una in mano e la osservò. Le piccole ali, le minuscole zampe, la testolina e persino gli occhi erano del colore dell'erba. Era così piccola e perfetta. Laura non riusciva a credere che sarebbe diventata una grossa, orribile cavalletta marrone.

«Cresceranno anche troppo in fretta» disse papà «e mangeranno ogni cosa».

Giorno dopo giorno, sempre più cavallette sbucavano dal terreno. Cavallette verdi grandi e piccole sciamavano e mangiavano ovunque. Il rumore del vento non riusciva a coprire quello delle loro mascelle che mordevano, rosicchiavano e masticavano.

Mangiarono tutto il verde che c'era nell'orto. Mangiarono i germogli delle patate. Mangiarono l'erba, le foglie dei salici, quelle dei susini e le piccole susine ancora verdi. Mangiarono l'intera prateria, che divenne marrone. E crebbero.

Divennero grosse, brutte e marroni. I loro grandi occhi sporgevano e le zampe spigolose, saltando, le portavano ovunque. Saltavano fitte poco sopra la terra, mentre Laura e Mary rimanevano in casa.

Non pioveva, le giornate si facevano sempre più calde, sempre più brutte e piene di quel rumore che presto divenne insopportabile.

«Oh, Charles» disse mamma una mattina «non credo che potrò sopportare un altro giorno così».

Mamma stava male. Il suo volto era pallido e magro. Mentre parlava, si mise a sedere.

Papà non rispose. Per giorni era andato avanti e indietro con un'espressione rigida e tesa. Non cantava né fischiava più. E, cosa peggiore, non rispondeva a mamma. Camminava fino alla porta e rimaneva lì a guardare fuori.

Persino Carrie non si muoveva. Cominciava a fare caldo e le cavallette facevano un suono diverso. Laura corse a guardare, agitata. Anche papà era agitato.

«Caroline!» disse «È strano, vieni a vedere!»

163

Nel cortile davanti alla casa le cavallette camminavano fianco a fianco, così vicine tra loro che sembrava fosse il terreno a muoversi. Nessuna di loro saltava né voltava la testa. Andavano, più in fretta che potevano, verso Ovest.

Mamma rimase accanto a papà. Mary chiese: «Papà, cosa succede?» e papà rispose: «Non lo so».

Si riparò gli occhi dal sole e guardò in lontananza, verso Ovest e verso Est. «È tutto uguale, a perdita d'occhio. Il terreno striscia. Striscia verso Ovest».

Mamma sussurrò: «Oh, se solo se ne andassero!»

Rimasero tutti a guardare quello strano spettacolo. Solo Carrie salì sul suo seggiolone e batté sul tavolo con il cucchiaio.

«Un attimo, Carrie» disse mamma, continuando a guardare le cavallette che passavano. Non c'era spazio tra loro, sembravano non finire mai.

«Ho fame!» gridò Carrie. Nessuno si mosse. Alla fine Carrie urlò, sull'orlo delle lacrime: «Ma! Ma!»

«Ecco, la colazione arriva» disse mamma, voltandosi. Poi gridò: «Oh, santo cielo!»

Le cavallette camminavano addosso a Carrie. Entravano dalla finestra a Est, strette una contro l'altra attraversavano il davanzale e scendevano lungo la parete, fino al pavimento. Salivano lungo le gambe del tavolo e del seggiolone di Carrie. Sotto il tavolo e sotto le panche, sopra il tavolo, sopra le panche e sopra Carrie, camminavano verso Ovest.

«Chiudete la finestra!» disse mamma. Laura corse sulle cavallette per andare a chiuderla. Papà uscì e fece il giro della casa. Rientrò e disse: «Sarà meglio chiudere le finestre del piano di sopra. Tutto il lato Est della casa è ricoperto di cavallette, e non girano intorno alla finestra della soffitta: ci entrano dentro».

164

Lungo le pareti e attraverso il tetto si sentiva lo stridio delle loro zampe. Sembrava che la casa ne fosse piena. Mamma e Laura le afferrarono e le buttarono fuori dalla finestra dal lato Ovest. Nessuna entrava da quella parte, sebbene l'intera parete Ovest della casa fosse ricoperta di cavallette che avevano attraversato il tetto e stavano scendendo nuovamente a terra per dirigersi a Ovest con le altre.

Per tutto il giorno le cavallette camminarono verso Ovest. Poi anche il giorno seguente, e quello successivo. Camminavano senza sosta.

Non una sola cavalletta deviò dal suo cammino.

Camminarono sicure sopra la casa. Camminarono sopra la stalla. Camminarono addosso a Spot, finché papà non la chiuse nella stalla. Camminarono nel ruscello e annegarono. Quelle che le seguivano continuavano a camminare e ad annegare, finché i cumuli di cavallette morte non formarono un passaggio che le altre poterono attraversare.

Per tutto il giorno il sole batté forte sulla casa. Per tutto il giorno udirono quel suono strisciante che saliva lungo la parete, attraversava il tetto e scendeva nuovamente. Per tutto il giorno le teste delle cavallette, con gli occhi sporgenti e le zampe aggrappate, rimasero ammassate lungo il bordo inferiore della finestra chiusa. Per tutto il giorno tentarono di arrampicarsi sul vetro scivoloso e caddero mentre altre, a migliaia, spingevano, tentavano a loro volta e poi cadevano.

Mamma era pallida e tesa. Papà non parlava e i suoi occhi non brillavano. Laura non riusciva a togliersi quel suono dalle orecchie, né quella sensazione strisciante di dosso.

Arrivò il quarto giorno e le cavallette continuavano a camminare. Il sole era più caldo che mai e la luce abbagliante.

Era quasi mezzogiorno quando papà arrivò dalla stalla urlando: «Caroline! Caroline! Guarda fuori! Le cavallette stanno volando via!»

Laura e Mary corsero alla porta. Tutto intorno le cavallette spiegavano le ali e si alzavano in volo. Riempirono l'aria volando sempre più in alto, finché la luce del sole non calò e si spense, come era successo quando le cavallette erano arrivate.

Laura corse fuori. Guardava in su, verso il sole, attraverso quella nuvola che sembrava fatta di fiocchi di neve. Era una nuvola nera, brillante, scintillante, luccicante, che diventava sempre più chiara man mano che la osservava. E invece di scendere, stava salendo. La nuvola passò davanti al sole, poi si spostò a Ovest fino a scomparire completamente.

Non c'era più nemmeno una cavalletta in cielo né a terra, a parte qualcuna azzoppata o mutilata che non riusciva a volare, ma proseguiva arrancando verso Ovest.

Tutto era immobile, come dopo una tempesta.

Mamma entrò in casa e si accasciò sulla sedia a dondolo: «Oh, Signore!» disse «Oh, Signore!» Erano parole di preghiera ma significavano: «Grazie!»

Laura e Mary sedettero sullo scalino davanti all'ingresso. Ora potevano farlo: non c'erano più cavallette.

«Tutto è immobile!» disse Mary.

Papà si appoggiò allo stipite della porta e disse: «Vorrei proprio sapere come facevano a sapere, tutte quante, che era ora di partire, e come facevano a sapere da che parte era l'Ovest, verso dove dovevano andare».

Ma nessuno seppe rispondere.

Palle di fuoco

Tutti i giorni furono calmi dal momento in cui, nel mese di luglio, le cavallette se n'erano andate. La pioggia cadde e l'erba crebbe nuovamente sulla terra che era rimasta spoglia, brutta e marrone. Le erbacce crebbero per prime, insieme a grossi cespugli di rotolacampo.

I salici, i pioppi e i susini misero nuovamente le foglie. Non ci sarebbero stati frutti, perché il tempo della fioritura era passato. Non ci sarebbe stato grano. Ma l'erba stava crescendo forte nei punti bassi in riva al ruscello. Le patate avevano resistito, e c'erano pesci nella trappola.

Papà attaccò Sam e David all'aratro del signor Nelson e arò parte del campo ricoperto di erbacce. Con l'aratro scavò un solco tagliafuoco a Ovest della casa. Il solco iniziava lungo il ruscello e al ruscello tornava nuovamente. Nel campo seminò le rape.

«È tardi» disse. «Gli anziani dicevano di seminare le rape il 25 luglio, con o senza pioggia. Ma non credo che avessero considerato il problema delle cavallette. Se tutto va bene, ce ne saranno quante tu e le bambine ne potrete raccogliere. Io non ci sarò e non potrò farlo».

Papà doveva andare di nuovo a Est, per lavorare dove c'erano i raccolti, perché la casa non era ancora stata pagata e doveva comprare sale, farina di mais e zucchero. Non poteva rimanere a tagliare il fieno per nutrire Sam, David e Spot durante l'inverno, ma il signor Nelson aveva accettato di tagliarlo e accatastarlo, in cambio di una parte.

Così una mattina presto papà se ne andò. Scomparve fischiettando alla loro vista, con il maglione arrotolato sulla spalla. Ma non c'erano buchi nei suoi stivali. La camminata non sarebbe stata difficile e un giorno, camminando, sarebbe tornato.

La mattina, dopo aver fatto i lavori di casa e nella stalla, Laura e Mary studiavano. Nel pomeriggio, mamma le interrogava. Poi potevano giocare o cucire fino all'ora in cui bisognava andare a prendere Spot e il suo vitello per portarli a casa. Poi c'era il resto dei lavori, la cena, i piatti da lavare, e alla fine si andava a letto.

Dopo che il signor Nelson ebbe accatastato il fieno di papà vicino alla stalla, faceva caldo dalla parte battuta dal sole, ma il lato in ombra era freddo. Il vento soffiava e le mattine erano gelate.

Una mattina, quando Laura portò Spot e il vitello incontro alla mandria, Johnny ebbe un problema con il bestiame. Stava cercando di condurre la mandria verso Ovest, nella prateria, dove l'erba era alta. Gli animali non volevano andarci. Continuavano a voltarsi e a tornare indietro.

Laura e Jack lo aiutarono a guidarli. Il sole stava sorgendo e il cielo era chiaro. Ma prima di arrivare a casa, Laura vide una nuvola bassa a Ovest. Arricciò il naso, annusò profondamente e si ricordò della terra degli Indiani.

«Ma!» chiamò. Mamma uscì e guardò la nuvola.

«È lontana, Laura» disse «non credo che arriverà fin qui».

Per tutta la mattina soffiò un vento proveniente da Ovest. A mezzogiorno soffiava più forte e mamma, Mary e Laura rimasero nel cortile davanti alla casa a guardare la nuvola nera che si avvicinava.

«Chissà dove sarà la mandria» disse mamma preoccupata.

Alla fine videro una luce tremolante sotto la nuvola.

«Se le mucche sono al sicuro sull'altra riva, non c'è da preoccuparsi» disse mamma. «Il fuoco non può attraversare quel solco. Sarà meglio entrare in casa e cenare, bambine».

Portò Carrie in casa, ma Laura e Mary guardarono un'ultima volta il fumo che si avvicinava. Poi Mary indicò e rimase a bocca aperta, senza riuscire a parlare. Laura urlò: «Ma! Ma! Una palla di fuoco!»

Davanti al fumo che luccicava di rosso, una palla di fuoco si avvicinava roteando velocemente, incendiando l'erba al suo passaggio. Poi un'altra, un'altra e un'altra ancora si avvicinarono roteando nel vento. La prima stava attraversando il solco tagliafuoco.

Mamma le corse incontro con un secchio d'acqua e una scopa. La colpì con la scopa bagnata e la spense picchiando il suolo dove si era fermata. Corse incontro alla successiva, ma ne arrivavano molte altre.

«Sta' indietro, Laura!» disse.

Laura rimase indietro, appoggiata contro la casa, guardando Mary e tenendole stretta la mano. Carrie piangeva perché mamma l'aveva chiusa dentro casa.

Le palle di fuoco arrivavano sempre più veloci. Erano i rotolavento che, ormai maturi, si erano seccati e staccati dalle loro radici perché il vento li portasse in giro a spargere i propri semi. Ora erano in fiamme, rotolavano spinti dal vento e seguiti dal grande fuoco che avanzava.

Colonne di fumo si innalzavano intorno a mamma, che correva spegnendo con la scopa quelle veloci palle ardenti. Appoggiato alle gambe di Laura, Jack tremava, mentre a lei bruciavano e lacrimavano gli occhi.

Il vitello grigio del signor Nelson arrivò al galoppo e il signor Nelson saltò giù nei pressi della stalla. Prese una forca e urlò: «Correte, presto! Prendete dei panni bagnati!» e andò ad aiutare mamma.

Laura e Mary corsero al ruscello con dei sacchi di tela. Tornarono di corsa con i sacchi zuppi e il signor Nelson ne mise uno in cima alla forca. Il secchio di mamma era vuoto: le bambine corsero a riempirlo.

Le palle di fuoco salivano su per la collina. Strisce di fuoco le seguivano attraverso l'erba secca. Mamma e il signor Nelson le affrontavano con la scopa e i sacchi bagnati.

«I mucchi di fieno! I mucchi di fieno!» urlò Laura. Una palla di fuoco era finita tra i mucchi di fieno. Il signor Nelson e mamma arrivarono di corsa attraverso il fumo. Un'altra palla di fuoco arrivò, attraversando il terreno bruciato, fino alla casa. Laura era così spaventata che non si rendeva conto di ciò che faceva. Carrie era in casa e Laura spense la palla di fuoco sbattendola con un sacco di tela bagnato.

Alla fine non ci furono più palle di fuoco. Mamma e il signor Nelson avevano fermato il fuoco all'altezza del solco. Pezzetti di fieno e di erba bruciata roteavano nell'aria, mentre il grande fuoco correva lungo il solco.

Non poteva attraversare il solco. Corse veloce verso Sud, in direzione del ruscello. Si spinse a Nord, incontrando nuovamente il ruscello. Non potendo spingersi oltre, si consumò fino a spegnersi.

Le nuvole di fumo volarono via. Il fuoco era finito. Il signor Nelson disse che era andato a cercare la mandria con il suo vitello grigio. Le mucche erano al sicuro sull'altra riva del ruscello.

«Le siamo davvero riconoscenti, signor Nelson» disse mamma. «Ha salvato la nostra casa. Le bambine e io non ce l'avremmo fatta da sole».

Quando lui se ne fu andato, lei disse: «Non c'è niente al mondo di più prezioso che un buon vicino. Ora venite, bambine, lavatevi e mangiate».

Segni sulla lavagna

Dopo il fuoco nella prateria faceva così freddo che mamma disse che dovevano sbrigarsi a raccogliere le patate e le rape, prima che congelassero.

Tirò fuori le patate dalla terra mentre Mary e Laura le raccoglievano e le portavano in cantina, disponendole in mucchi. Il vento soffiava forte e secco. Le bambine indossavano lo scialle ma non i guanti, naturalmente. Il naso di Mary era rosso e quello di Laura era congelato. Avevano le mani intorpidite e i piedi intirizziti. Ma erano felici di avere così tante patate.

Era bello scaldarsi vicino alla stufa, una volta finito il lavoro e sentire il profumo delle patate che bollivano e del pesce che friggeva. Era bello mangiare e dopo andare a letto.

Poi, con un tempo buio e malinconico, raccolsero le rape. Era più difficile che raccogliere le patate. Le rape erano grandi e dure da estrarre, e spesso Laura tirava così forte che, quando la rapa veniva fuori, lei si ritrovava seduta a terra.

Tutte le cime verdi dovevano essere tagliate con il coltello da macellaio. Il succo bagnava le loro mani, il vento le screpolava fino a spaccarle e a farle sanguinare. Mamma preparò un unguento fatto di lardo e cera d'api mescolati insieme, da spalmare sulle mani la sera.

Spot e il vitello adoravano mangiare le cime di rapa ed era bello sapere che ce n'erano abbastanza per tutto l'inverno. Avrebbero avuto rape bollite, purè di rape, crema di rape. E nelle sere d'inverno ci sarebbe stato un piatto di rape crude sul tavolo, vicino alla lampada. Le avrebbero sbucciate e mangiate così, tagliate a fettine croccanti e succose.

Un giorno misero l'ultima rapa in cantina e mamma disse: «Bene, ora può anche gelare».

In effetti quella notte la terra gelò e al mattino la neve cadeva fitta fuori dalle finestre.

Mary aveva trovato un modo per contare i giorni che mancavano al ritorno di papà. Nella sua ultima lettera aveva detto che, dove si trovava, nel giro di due settimane avrebbero finito la trebbiatura. Mary tirò fuori la lavagna e fece un segno per ogni giorno della settimana: sette segni. Sotto di essi fece un altro segno per ogni giorno della settimana successiva: altri sette segni.

L'ultimo segno rappresentava il giorno in cui papà sarebbe arrivato. Ma quando fecero vedere la lavagna a mamma, lei disse: «Sarà meglio aggiungere un'altra settimana, il tempo di tornare a casa».

Così, lentamente, Mary fece altri sette segni. A Laura non piaceva vedere così tanti segni che separavano quel giorno da quello in cui papà sarebbe tornato. Ma ogni sera, prima di andare a dormire, Mary cancellava un segno. Un giorno era passato.

Ogni mattina Laura pensava: «Dovrà passare tutto il giorno prima che Mary possa cancellare un altro segno».

Fuori, nel freddo del mattino, l'aria profumava. Il sole aveva sciolto la neve, ma il terreno era duro e ghiacciato. Il ruscello era ancora sveglio. Le foglie secche galleggiavano sull'acqua sotto il cielo blu invernale.

La sera era bello stare in casa, alla luce della lampada e al caldo della stufa. Laura giocava con Carrie e Jack sul pavimento liscio e pulito. Mamma sedeva comodamente a ricamare e Mary leggeva alla luce della lampada.

«È ora di andare a dormire, bambine» disse mamma, togliendosi il ditale. Mary cancellò un altro segno e mise via la lavagna.

Una sera cancellò il primo giorno dell'ultima settimana. La guardavano tutte mentre lo faceva e, mettendo via la lavagna, Mary disse: «Papà sta tornando a casa! Questi segni sono i giorni durante i quali sarà in cammino».

Jack, nel suo angolino, fece un suono gioioso, come se avesse capito. Corse alla porta e si mise a grattare, a piangere e ad agitarsi. Poi Laura udì un fischio smorzato dal vento: cantava *Quando Johnny torna a casa*.

«È Pa! Pa!» gridò, spalancò la porta e si precipitò nel buio e nel vento, con Jack che le faceva strada.

«Ciao, scricciolo!» disse papà, abbracciandola forte «Sta' buono, Jack!»

La luce della lampada usciva dalla porta. Mary, mamma e Carrie stavano arrivando.

«Come sta la mia piccolina?» disse papà, sollevando Carrie «ed ecco la mia bambina grande» aggiunse tirando la treccia di Mary. «Dammi un bacio, Caroline, se riesci a raggiungermi, in mezzo a tutti questi Indiani selvaggi».

Bisognava preparare la cena per papà e nessuno aveva intenzione di andare a dormire. Laura e Mary gli raccontarono tutto in una volta: delle palle di fuoco, delle patate e delle rape, di quanto fosse diventato grande il vitello e di quanto avessero studiato, e Mary disse: «Papà... ma come fai a essere già qui? Non hai camminato per tutti i segni sulla lavagna».

Gli mostrò i segni non ancora cancellati, durante i quali avrebbe dovuto essere in cammino.

«Capisco!» disse papà «Non avete tenuto conto dei giorni che la mia lettera ha impiegato per arrivare qui. E comunque ho camminato in fretta lungo tutto il tragitto: dicono che sia già un duro inverno, al Nord. Di cosa abbiamo bisogno in città, Caroline?»

Mamma disse che non avevano bisogno di nulla. Avevano mangiato così tanto pesce e patate che c'era ancora farina. E anche zucchero, e persino il tè. Solo il sale era quasi finito, ma sarebbe durato ancora qualche giorno.

«Allora sarà meglio far legna prima di andare in città: non mi piace il suono di questo vento, e mi hanno detto che in Minnesota le bufere di neve arrivano all'improvviso. Ho sentito di una coppia che è andata in città: una bufera li ha sorpresi così all'improvviso che non sono potuti rientrare. A casa, i loro figli avevano bruciato tutti i mobili, ma erano morti di freddo prima che i genitori potessero rientrare».

Faccende domestiche

Durante il giorno papà guidava il carro su e giù dal ruscello, portando carichi di legna che impilava vicino alla porta. Aveva tagliato vecchi susini, salici e pioppi, lasciando quelli piccoli perché crescessero. Li aveva trainati e impilati, tagliati e ritagliati per infilarli nella stufa, fino a formare una grande pila di legna da ardere.

Con l'ascia infilata nella cintura, le trappole in mano e il fucile in spalla, papà aveva camminato lungo il torrente, sistemando trappole per topi muschiati, visoni, lontre e volpi.

Una sera a cena papà disse di aver trovato un castoro. Ma aveva deciso di non mettere trappole da quelle parti, perché ne erano rimasti pochi esemplari. Aveva anche visto una volpe. Le aveva sparato, ma l'aveva mancata.

«Sono fuori allenamento, è da tanto che non vado a caccia» disse. «Si sta bene qui, ma non c'è molta selvaggina. Mi piacerebbe andare in altri posti più a Ovest, dove...»

«...dove non ci sono scuole per le bambine, Charles» proseguì mamma.

«Hai ragione, Caroline, come sempre» disse papà. «Ascolta questo vento. Ci sarà una tempesta domani».

Ma il giorno dopo fu mite come in primavera. L'aria era dolce e calda e il sole splendeva. A metà mattina papà tornò a casa.

«Pranziamo presto e andiamo a fare una passeggiata in città, questo pomeriggio» disse a mamma «è una giornata troppo bella per restare chiusi in casa. Avremo tutto il tempo per farlo quando arriverà davvero l'inverno»

«Ma, le bambine...» disse mamma «non possiamo camminare così tanto con Carrie»

«Sciocchezze!» rise papà «Mary e Laura sono grandi ormai. Possono occuparsi di Carrie per un pomeriggio»

«Certo che possiamo, Ma» disse Mary, e Laura ribadì: «Certo che possiamo!»

Guardarono papà e mamma partire allegramente. Mamma era così bella, avvolta nello scialle marrone e rosso che aveva ricevuto per Natale, con il cappuccio marrone fatto a maglia legato sotto il mento. Camminava così in fretta e guardava papà con aria così felice che a Laura sembrò un uccellino.

Laura spazzò il pavimento, mentre Mary sparecchiava la tavola. Mary lavò i piatti e Laura li asciugò e li ripose nell'armadio. Misero la tovaglia a quadretti rossi sul tavolo. Ora avevano tutto il pomeriggio davanti: potevano fare quello che volevano.

Per prima cosa, decisero di giocare alla scuola. Mary disse che lei sarebbe stata la maestra, perché era la più grande e perché sapeva più cose. Laura sapeva che era vero. Così Mary fece la maestra e le piacque, ma Laura si stancò presto di quel gioco.

«Ho trovato!» disse «Insegniamo a Carrie le lettere dell'alfabeto».

Misero Carrie a sedere su una panca e tennero il libro davanti a lei. Entrambe fecero del loro meglio. Ma a Carrie non piaceva, non voleva imparare le lettere, quindi dovettero smettere.

«Bene» disse Laura «giochiamo a occuparci della casa»

«Ci *stiamo* occupando della casa» disse Mary. «A cosa serve giocarci?»

La casa era vuota e silenziosa senza mamma. Mamma era così calma e gentile che non faceva mai rumore, ma la sua assenza si sentiva.

Laura uscì un po' da sola, ma tornò indietro. Il pomeriggio sembrava non finire mai. Non c'era niente da fare. Persino Jack camminava avanti e indietro senza sosta.

Chiese di uscire; poi, quando Laura aprì la porta, non volle andare. Si sdraiò e si alzò, si mise a camminare intorno alla stanza. Andò da Laura e la guardò con aria seria: «Cosa c'è, Jack?» gli chiese Laura. Lui la guardò intensamente, ma lei non poteva capire e lui emise un lamento.

«No, Jack!» gli disse Laura «Mi stai facendo paura!»

«C'è qualcosa là fuori?» chiese Mary. Laura uscì di corsa, ma sulla porta Jack le afferrò il vestito e la tirò indietro. Fuori faceva freddo. Laura chiuse la porta.

«Guarda» disse «il sole se n'è andato. Staranno tornando le cavallette?»

«Non essere sciocca, è inverno» disse Mary. «Forse sta per piovere»

«Sciocca sarai tu!» ribatté Laura «Non piove d'inverno»

«Beh, forse nevicherà, allora! Che differenza fa?»

Mary era arrabbiata, e anche Laura lo era. Sarebbero andate avanti a litigare, ma all'improvviso si fece buio. Corsero a guardare fuori dalla finestra della camera da letto.

Una nuvola nera con la parte inferiore bianca e soffice arrivava veloce da Nord-Est.

Mary e Laura guardarono fuori dalla finestra sul davanti della casa. Papà e mamma avrebbero già dovuto essere tornati a quell'ora, ma non si vedevano nemmeno in lontananza.

«Forse è una bufera» disse Mary.

«Come ha detto papà» continuò Laura.

Si guardarono e pensarono a quei bambini morti congelati.

«La cassetta della legna è vuota»

Mary la trattenne: «Non puoi! Mamma ha detto di restare in casa, se fosse arrivata una tempesta».

Laura si divincolò e Mary disse: «Tanto Jack non ti lascerà uscire»

«Dobbiamo portare dentro la legna prima che arrivi la tempesta» disse. «Sbrighiamoci!»

Il vento aveva uno strano suono, come un grido lontano. Si misero lo scialle e se lo fissarono sotto il mento con le loro grosse spille. Poi indossarono i guanti.

Laura fu pronta per prima. Disse a Jack: «Dobbiamo portare dentro la legna, Jack». Lui sembrò capire. Uscì con lei e le rimase vicino. Il vento era più freddo di un ghiacciolo. Laura corse alla pila di legna, ne prese quanta ne poteva trasportare e corse indietro, con Jack che la seguiva. Non poteva aprire la porta con la legna in mano. Mary le aprì.

A quel punto, non sapevano cosa fare. La nuvola si avvicinava in fretta e tutte e due dovevano andare a prendere altra legna prima che arrivasse. Non potevano aprire la porta con le braccia piene, né lasciare la porta aperta, facendo entrare il freddo.

«Io potto aprire la porta» disse Carrie.

«No, non puoi» rispose Mary.

«Potto!» ribadì Carrie e, con entrambe le mani, afferrò la maniglia. Poteva farlo! Carrie era abbastanza grande per aprire la porta.

Laura e Mary si sbrigarono a portare la legna in casa. Carrie apriva la porta quando arrivavano e la chiudeva dopo che erano entrate. Mary riusciva a prenderne di più, ma Laura era più veloce.

Riuscirono a riempire la cassetta prima che cominciasse a nevicare. La neve arrivò all'improvviso con un rombo: granelli duri come sabbia, che pungevano quando colpivano il viso di Laura. Quando

Carrie aprì la porta, la neve si infilò in casa turbinando in una nuvola bianca.

Laura e Mary avevano dimenticato che mamma aveva detto di rimanere in casa durante le bufere. Non pensarono a nient'altro che a portare la legna in casa. Correvano freneticamente avanti e indietro, portando ogni volta tutta la legna che riuscivano a trasportare.

Accatastarono la legna intorno alla cassetta e intorno alla stufa. L'accatastarono contro la pareti. Fecero pile sempre più grandi, sempre più alte.

Bang! Sbattevano la porta e correvano ad accatastare la legna. *Hop-hop-hop*, accatastavano tutta la legna che riuscivano a portare. Correvano alla porta. *Bum!* Si apriva, e *bang!* La richiudevano. Lasciavano cadere la legna e tornavano di corsa fuori, verso la pila, e poi di nuovo indietro.

Riuscivano a malapena a vedere la pila, tra i vortici di neve. La neve si infilava in mezzo alla legna. Quasi non si vedeva più la casa e Jack era una macchia nera che le seguiva di corsa. La neve dura raschiava loro il volto. Laura ansimava e aveva male alle braccia, e si chiedeva continuamente: «Dov'è Pa? Dov'è Ma? Presto, presto!» e sentiva lo stridio del vento.

La pila di legna era sparita. Mary prese alcuni pezzi, Laura ne prese altri: gli ultimi. Corsero insieme verso la porta, Laura l'aprì e Jack balzò dentro. Carrie era alla finestra, batteva le mani e urlava. Laura mise giù la legna e si voltò appena in tempo per vedere papà e mamma uscire di corsa dal bianco turbinio della neve.

Papà teneva la mano di mamma per aiutarla a correre. Irruppero in casa, chiusero la porta sbattendola e rimasero lì, ansimanti e coperti di neve. Nessuno disse una parola mentre papà e mamma guardavano Laura e Mary, ricoperte di neve, con indosso gli scialli e i guanti.

Alla fine Mary disse, con una vocina: «Siamo uscite durante la bufera, Ma. Ci siamo dimenticate».

Laura abbassò la testa e disse: «Non volevamo bruciare i mobili, Pa, e morire congelate»

«Accidenti!» disse papà «Hanno portato dentro tutta la catasta. Tutta la legna che ho tagliato nelle ultime due settimane!»

Accatastata in casa c'era l'intera pila di legna. Sciogliendosi, la neve che la ricopriva stava formando delle pozzanghere. Una striscia bagnata arrivava fino alla porta, dove c'era altra neve, non ancora sciolta.

Poi papà scoppiò nella sua sonora risata e il dolce sorriso di mamma scaldò Mary e Laura. Sapevano che erano state perdonate per aver disobbedito, perché erano state sagge a portare dentro la legna. Anche se, forse, non avrebbero dovuto prenderne così tanta.

Presto sarebbero diventate abbastanza grandi da non fare più errori. Allora avrebbero sempre potuto decidere cosa fare, invece di obbedire a papà e mamma.

Si diedero da fare per togliere lo scialle e il cappuccio a mamma, scuoterli dalla neve e appenderli ad asciugare. Papà corse alla stalla per occuparsi degli animali, prima che la tempesta peggiorasse. Poi, mentre mamma riposava, le bambine accatastarono la legna per bene, come aveva detto lei, spazzarono e asciugarono il pavimento.

La casa era di nuovo ordinata e confortevole. La teiera borbottava e il fuoco bruciava grazie al tiraggio della stufa. La neve frusciava contro le finestre.

Papà rientrò: «Questo è tutto il latte che sono riuscito a portare a casa. Il vento l'ha buttato fuori dal secchio. Caroline, questa tempesta è terribile. Non si vede a un palmo dal naso, il vento arriva contemporaneamente da tutte le direzioni. Credevo di essere sul sentiero, ma non vedevo la casa, e poi... e poi ho sbattuto contro un angolo. Un passo più a sinistra e chissà dove sarei finito»

«Charles!» disse mamma.

«Non c'è niente da temere, ora» disse papà «ma se non fossimo tornati di corsa dalla città... Siamo arrivati appena in tempo...» I suoi occhi brillarono, poi arruffò i capelli di Mary e tirò un orecchio a Laura: «...e meno male che abbiamo tutta questa legna in casa!» disse.

Inverno nella prateria

Il giorno dopo la bufera fu ancora più terribile. Non si vedeva fuori dalle finestre, perché la neve sbatteva fitta contro i vetri, imbiancandoli completamente. Tutto intorno alla casa il vento sembrava urlare.

Quando papà uscì per andare alla stalla, la neve entrò nello sgabuzzino e fuori c'era un muro tutto bianco. Prese un rotolo di corda che era appeso a un chiodo del ripostiglio: «Ho paura di uscire senza qualcosa che mi aiuti a tornare indietro» disse. «Legando questa corda all'estremità di quella per stendere i panni, dovrei riuscire a raggiungere la stalla».

Aspettarono, preoccupate, il ritorno di papà. Il vento aveva rovesciato quasi tutto il latte che c'era nel secchio e papà dovette scaldarsi vicino alla stufa prima di riuscire a parlare. Aveva trovato la strada a tastoni seguendo la corda per stendere i panni, dall'estremità legata al ripostiglio fino al palo all'altro capo. Poi aveva legato la sua corda al palo ed era andato avanti srotolando man mano la corda.

Non vedeva nient'altro che neve. All'improvviso, qualcosa lo aveva colpito: era il muro della stalla. A tastoni aveva trovato la porta, e lì aveva legato l'altra estremità della corda. Dopo essersi occupato degli animali, era tornato indietro, tenendosi alla corda.

La tempesta durò tutto il giorno. Le finestre erano tutte bianche e il vento non smetteva di ululare. Si stava bene in casa, al caldo. Laura e Mary fecero i compiti, poi papà suonò il violino mentre mamma, sulla sedia a dondolo, lavorava a maglia. La zuppa di fagioli cuoceva sulla stufa.

La tempesta continuò per tutta la notte e il giorno successivo. La luce del fuoco danzava nella stufa, papà raccontava storie e suonava il violino.

Il mattino dopo il vento sibilava e il sole splendeva. Dalla finestra Laura vide la neve che era a terra spostarsi in piccoli vortici, trascinata dal vento. Il mondo intero somigliava al ruscello in piena. Ma al posto della schiuma c'era la neve. Persino la luce del sole era fredda e pungente.

«Bene, sembra che la tempesta sia finita» disse papà. «Se riesco ad andare in città, domani, farò scorta di cibo».

Il giorno dopo la neve era ammucchiata sul terreno. Il vento spostava nuvole di neve su e giù per i mucchi. Papà andò in città e tornò con grossi sacchi di farina di mais, farina, zucchero e fagioli. Avevano una bella riserva di cibo.

«Mi sembra strano dovermi chiedere da dove verrà la nostra carne» disse papà. «Nel Wisconsin avevamo sempre carne d'orso e di cervo, e nella terra degli Indiani c'erano cervi e antilopi, lepri, tacchini e oche: tutta la carne che volevamo. Qui ci sono solo coniglietti»

«Dovremo organizzarci e allevare degli animali» disse mamma. «Pensa come potremmo ingrassarli facilmente, se riusciamo a coltivare il grano per nutrirli»

«Sì» disse papà «l'anno prossimo avremo un raccolto di grano: questo è certo».

Il giorno dopo arrivò un'altra bufera di neve. Ancora una volta quella nuvola bassa e scura rotolò veloce da Nord-Est fino a intimidire il sole e a coprire tutto il cielo. Arrivò anche il vento urlante, che agitò la neve e annebbiò ogni cosa.

Papà andò alla stalla seguendo la corda e tornò. Mamma cucinò, pulì, cucì e aiutò Mary e Laura a studiare. Loro due lavarono i piatti, rifecero i letti, spazzarono i pavimenti, si lavarono le mani e la faccia e si intrecciarono per bene i capelli. Studiarono i loro libri e giocarono con Carrie e Jack. Disegnarono sulla lavagna e insegnarono a Carrie le lettere dell'alfabeto. Mary continuava a cucire i suoi quadrati patchwork. Laura aveva cominciato una trapunta con motivi a forma di zampa d'orso. Era più complicato dei quadrati, perché c'erano cuciture in sbieco, ed era difficile farle lisce. Ogni cucitura doveva essere perfetta perché mamma gliene lasciasse fare un'altra, e spesso Laura lavorava per diversi giorni su una piccola parte.

Così erano occupati per tutto il giorno. E i giorni passavano, tempesta dopo tempesta. Ne era appena terminata una che, dopo una fredda giornata di sole, ne cominciava subito un'altra. Durante la giornata di sole, papà lavorava velocemente, tagliando altra legna, controllando le trappole, portando il fieno dai mucchi ricoperti di neve dentro la stalla. Anche se il giorno di sole non era un lunedì, mamma lavava i vestiti e li stendeva ad asciugare al freddo. Quel giorno non c'era lezione: Laura, Mary e Carrie, imbacuccate per bene, potevano giocare fuori al sole.

Il giorno seguente arrivava un'altra bufera, ma papà e mamma erano pronti per affrontarla.

Se il giorno di sole era una domenica, potevano sentire la campana della chiesa. Riecheggiava dolce e chiara nel freddo, e loro rimanevano fuori ad ascoltare.

Non potevano andare alle lezioni della domenica: una tempesta avrebbe potuto arrivare prima che rientrassero a casa. Ma ogni domenica facevano catechismo a casa.

184

Laura e Mary ripetevano i versi della Bibbia. Mamma leggeva una storia dai Salmi. Poi papà suonava i canti con il violino e cantavano tutti insieme:

Quando le nuvole cupe nel cielo
proiettano ombre sul terreno,
raggi di speranza illuminano il mio cammino
perché Gesù mi tiene la mano.

Ogni domenica, papà suonava e loro cantavano:

Mia carissima Scuola del sabato,
più bella della cupola di un gran palazzo.
Il mio cuore si riempie di gioia
quando vado alla Scuola del sabato.

La lunga tempesta

Un giorno, all'ora di cena, mentre una bufera si calmava, papà disse: «Domani andrò in città. Ho bisogno di tabacco per la pipa e voglio sentire cosa succede. Hai bisogno di qualcosa, Caroline?»

«No, Charles» disse mamma «non andare. Queste tempeste arrivano così all'improvviso»

«Non ci sarà alcun pericolo domani» disse papà. «C'è appena stata una tempesta di tre giorni. C'è un sacco di legna già tagliata, durerà fino alla prossima, e intanto posso prendermi un po' di tempo per andare in città»

«Se credi che sia meglio così» disse mamma «ma promettimi almeno che rimarrai in città se dovesse arrivare una tempesta»

«Non mi azzarderei a fare un passo senza reggermi saldamente alla corda, in una di quelle tempeste» disse papà «ma non è da te, Caroline, preoccuparti quando vado da qualche parte»

«Non posso farci niente» rispose mamma «non mi sento tranquilla, ho uno strano presentimento... Sarà sicuramente una sciocchezza»

Papà rise: «Porterò la legna in casa, nel caso dovessi fermarmi in città».

Riempì la cassetta e accatastò altra legna tutto intorno. Mamma gli disse di indossare un secondo paio di calze, per evitare che gli si congelassero i piedi. Così Laura portò il cavastivali, papà si tolse gli stivali e indossò un altro paio di calze sopra quelle che già aveva addosso. Mamma gliene diede un nuovo paio di lana morbida e spessa, che aveva appena finito di lavorare a maglia.

«Come vorrei che avessi un cappotto di bufalo» disse mamma «il tuo è vecchio e tutto consumato»

«E io vorrei che tu avessi dei diamanti» disse papà. «Non preoccuparti, Caroline, tra poco arriverà la primavera».

Papà sorrise, mentre allacciava la cintura del suo vecchio cappotto logoro e indossava il caldo cappello di feltro.

«Il vento è così freddo, Charles» disse mamma preoccupata. «Tira giù i copri orecchie»

«Non questa mattina!» rispose papà. «Lascia che il vento fischi! Ora, bambine, fate le brave, finché non sarò tornato». Papà lanciò uno sguardo complice a Laura e chiuse la porta dietro di sé.

Dopo che Laura e Mary ebbero lavato e asciugato i piatti, spazzato il pavimento, fatto i letti e spolverato, sedettero con i loro libri. Ma la casa era talmente bella e confortevole che Laura continuava a guardarla.

La stufa nera era così lucida che brillava. Una pentola di fagioli bolliva e il pane cuoceva in forno. La luce del sole entrava brillando dalle finestre, tra le tende bordate di rosa. Il tavolo era coperto dalla tovaglia a quadretti rossi. Sullo scaffale, vicino all'orologio, c'erano il cagnolino bianco e marrone di Carrie e il bel portagioie di Laura. La piccola pastorella bianca e rosa sorrideva dalla mensola.

Mamma portò il cestino del cucito vicino alla sedia a dondolo e Carrie sedette sullo sgabellino vicino alle sue ginocchia. Mentre mamma cuciva e dondolava, sentiva Carrie pronunciare le lettere dell'abbecedario. Disse la "A" maiuscola e la "A" minuscola; la "B" maiuscola e la "B" minuscola. Rideva, parlava e guardava le figure. Era ancora piccola, e non aveva bisogno di stare in silenzio a studiare.

L'orologio segnava le dodici. Laura guardò il pendolo che dondolava e le lancette nere che si muovevano sulla sua faccia bianca e tonda. Papà avrebbe dovuto essere a casa a quell'ora. I fagioli erano pronti, il pane era cotto. Tutto era pronto per il pranzo.

Laura guardò fuori dalla finestra e, un attimo dopo, vide che la luce era strana.

«Ma!» disse «Il sole è di uno strano colore».

Mamma distolse lo sguardo dal suo cucito, guardò fuori e trasalì. Andò in fretta in camera da letto, da dove poteva guardare a Nord-Est, poi tornò in silenzio.

«Mettete via i libri, bambine» disse «copritevi e andate a prendere della legna. Se papà non è già in cammino, si fermerà in città e avremo bisogno di più legna».

Dal punto in cui si trovava la pila, Laura e Mary vedevano la nuvola nera che si avvicinava. Rientrarono di corsa, ma ebbero appena il tempo di entrare in casa con la legna, prima che la tempesta arrivasse tuonando. Sembrava che fosse arrabbiata perché erano andate a prendere la legna. La neve era così fitta che non riuscivano a vedere lo scalino davanti alla porta. Mamma disse: «Va bene così, per adesso: la tempesta non può peggiorare di molto, e papà potrebbe arrivare da un momento all'altro».

Mary e Laura si spogliarono e si scaldarono le mani gelate. Poi aspettarono papà.

Il vento fischiava, rombava e strideva intorno alla casa. La neve frusciava contro le finestre. La lancetta lunga dell'orologio si muoveva lentamente attraverso il quadrante. Quella corta si spostò sull'uno, poi sul due.

Mamma prese tre ciotole di fagioli caldi e spezzettò una fetta di pane appena sfornato.

«Su, bambine» disse «mangiate. Papà è senz'altro rimasto in città».

Aveva dimenticato di prenderne una ciotola per sé e non ci pensò finché non fu Mary a dirglielo. E comunque non mangiò molto. Disse che non aveva fame.

La tempesta continuava a peggiorare. La casa tremava nel vento. Il freddo si insinuava lungo il pavimento e il nevischio entrava dai bordi delle porte e delle finestre, nonostante papà li avesse fatti in modo che combaciassero perfettamente.

«Papà è senz'altro rimasto in città» disse mamma. «Si fermerà lì stanotte, sarà meglio che io mi occupi degli animali adesso».

Indossò i vecchi stivali alti che papà utilizzava per andare nella stalla. I suoi piccoli piedi ci nuotavano dentro, ma almeno erano al riparo dalla neve. Si legò il maglione di papà intorno al collo e la cintura alla vita. Si legò il cappuccio e indossò i guanti.

«Posso venire con te, Ma?» chiese Laura

«No» disse mamma. «Ora ascoltatemi. State attente al fuoco. Nessuno, a parte Mary, deve toccare la stufa, non importa quanto tempo ci metterò. E nessuno deve uscire o aprire la porta finché non sarò tornata».

Si appese il secchio del latte al braccio e uscì in mezzo alla bufera, afferrando la corda per stendere, poi chiuse la porta alle sue spalle.

Laura corse alla finestra imbiancata, ma non riusciva a vedere mamma. Non vedeva nient'altro che il bianco del nevischio che sbatteva contro il vetro. Il vento rombava, tuonava e borbottava. Sembrava di sentire delle voci.

Mamma avanzava un passo dopo l'altro, aggrappandosi alla corda tesa. Sarebbe arrivata al palo e avrebbe proseguito, accecata da quel nevischio che le raschiava le guance. Laura pensò che mamma, lentamente, un passo alla volta, sarebbe arrivata alla porta della stalla.

Avrebbe aperto la porta e sarebbe entrata, insieme alla neve. Si sarebbe voltata e avrebbe chiuso in fretta la porta, infilando il chiavistello nella sua fessura. La stalla sarebbe stata calda per via del calore degli animali, e appannata dal loro respiro. Tutto era calmo lì dentro. La tempesta era fuori, e i muri erano solidi e spessi. Sam e David si sarebbero voltati nitrendo. La mucca avrebbe fatto: «*Muuu*» e il vitello: «*Mmmm*».

Immaginò i polli che razzolavano e una gallina che borbottava tra sé: «*Co-co-co-co-coo*».

Mamma avrebbe pulito i box con la forca e buttato lo strato vecchio nella pila di letame. Poi avrebbe preso la paglia rimasta nelle mangiatoie e l'avrebbe sparsa sul pavimento per fare dei giacigli puliti.

Avrebbe preso dal mucchio il fieno per le mangiatoie, finché non fossero state tutte e quattro piene. Sam, David, Spot e il vitello avrebbero masticato il buon fieno frusciante. Non avevano sete, perché papà li aveva fatti bere prima di andare in città.

Con il vecchio coltello che papà teneva vicino al mucchio di rape, mamma ne avrebbe tagliata qualcuna, mettendone un po' in ogni mangiatoia. Ora i cavalli e le mucche mangiavano le rape croccanti. Mamma avrebbe guardato l'abbeveratoio delle galline per assicurarsi che avessero acqua, poi avrebbe gettato loro un po' di granoturco e una rapa da beccare.

Ora, sicuramente, stava mungendo Spot. Laura aspettò fino al momento in cui, era sicura, mamma stava appendendo lo sgabellino che usava per mungere. Chiudendo con cura la porta alle sue spalle, mamma sarebbe tornata a casa, tenendosi stretta alla corda.

Ma non arrivò. Laura aspettò a lungo. Decise di aspettare ancora, e così fece. Il vento scuoteva la casa. La neve, fine e granulosa come lo zucchero, copriva il davanzale della finestra e scendeva sul pavimento senza sciogliersi.

Avvolta nel suo scialle, Laura rabbrividì. Continuò a fissare i quadrati di vetro tutti bianchi, ascoltando il fruscio della neve e il rombo del vento. Pensava ai bambini i cui genitori non erano tornati. Avevano bruciato tutti i mobili ed erano morti congelati.

Poi Laura non riuscì più a stare ferma. Il fuoco era acceso, ma solo quella parte della casa era calda. Tirò la sedia a dondolo vicino al forno aperto e ci mise Carrie seduta, sistemandole il vestito. Carrie dondolava la sedia allegramente, mentre Laura e Mary continuavano ad aspettare.

Alla fine la porta sul retro si aprì. Laura corse da mamma. Mary prese il secchio del latte mentre Laura le slacciava il cappuccio. Mamma era troppo infreddolita, non aveva fiato per parlare. La aiutarono a togliersi il maglione.

La prima cosa che disse fu: «È rimasto del latte?»

Ce n'era un po' in fondo al secchio, e un po' si era congelato.

«Il vento è tremendo» disse mamma. Si scaldò le mani, poi accese la lampada e la sistemò sul davanzale della finestra.

«Perché la metti lì, mamma?» le chiese Mary, e mamma disse: «Non è bella la luce della lampada che brilla contro la neve?»

Dopo che mamma si fu riposata, cenarono con pane e latte. Poi sedettero intorno alla stufa ad ascoltare. Sentivano la voce del vento che urlava e strillava, la casa che scricchiolava, la neve che frusciava.

«Così non va!» disse mamma «Giochiamo a "Zuppa di fagioli calda"! Mary, tu e Laura giocate insieme e Carrie, mi raccomando, noi saremo più veloci di loro!»

Così giocarono insieme, sempre più veloce, finché non poterono più pronunciare le rime, tanto stavano ridendo. Poi Laura e Mary lavarono le scodelle della cena e mamma sedette per lavorare a maglia.

Carrie voleva giocare ancora, così Mary e Laura fecero a turno per giocare con lei. Ogni volta che smettevano lei urlava: «Ancora! Ancora!»

Le voci nella tormenta urlavano, strillavano e sghignazzavano. La casa tremava. Laura batteva le mani con Carrie:

A qualcuno piace calda, a qualcuno piace fredda,
a qualcuno nella pentola, vecchia di...

Il tubo della stufa emise un suono acuto. Laura guardò in su e urlò: «Ma! La casa va a fuoco!»

Una palla di fuoco scese lungo il tubo. Era più grande del grosso gomitolo di mamma. Rotolò lungo la stufa e cadde a terra mentre mamma si alzava di scatto. Si sollevò la gonna e ci saltò sopra. Ma la palla di fuoco sembrò scivolarle tra i piedi, e rotolò fino al lavoro a maglia che aveva lasciato cadere. Mamma cercò di spingerlo verso il cassetto della cenere. Arrivò fino ai ferri da maglia, poi tornò indietro, lungo i ferri stessi. Un'altra palla di fuoco rotolò lungo il tubo, e poi un'altra ancora. Rotolavano lungo il pavimento fino ai ferri da maglia, e non bruciavano il pavimento.

«Santo cielo!» disse mamma, mentre guardavano quelle palle di fuoco che rotolavano. All'improvviso ne rimanevano solo due. Poi una. Non sapevano dove fossero finite.

«È la cosa più strana che io abbia mai visto» disse mamma, spaventata.

A Jack si era drizzato il pelo sulla schiena. Camminò fino alla porta, alzò il naso e gemette.

Mary si accasciò sulla sedia e mamma si mise le mani sopra le orecchie: «Per carità, Jack, smettila!» lo implorò.

Laura corse da Jack, ma lui non volle essere abbracciato. Tornò nel suo angolino e si sdraiò con il naso sulle zampe, il pelo dritto e gli occhi che brillavano nel buio.

Mamma prese in braccio Carrie e anche Mary e Laura si strinsero sulla sedia a dondolo. Sentivano le voci selvagge della tempesta e vedevano gli occhi di Jack brillare. Poi mamma disse: «Sarà meglio andare letto, bambine: più in fretta vi addormenterete, più in fretta arriverà il mattino».

Diede loro il bacio della buonanotte e Mary salì sulla scala della soffitta. Ma Laura si fermò a metà. Mamma stava scaldando la camicia da notte di Carrie vicino alla stufa. Laura le chiese sottovoce: «Papà è rimasto in città, vero?»

Mamma non alzò lo sguardo. Disse allegramente: «Di sicuro! Perché, Laura? Sono certa che in questo momento lui e il signor Fitch sono seduti davanti alla stufa a raccontarsi storielle e barzellette».

Laura andò a letto. Nel cuore della notte si svegliò e vide la luce della lampada accesa attraverso il buco della scala. Si alzò dal letto e, inginocchiata a terra, guardò di sotto.

Mamma sedeva da sola sulla sua sedia. La testa era inclinata in avanti, immobile, ma gli occhi erano aperti e le mani erano strette in grembo. La lampada brillava sulla finestra.

Laura rimase a lungo a guardare. Mamma non si muoveva. La lampada continuava a brillare. La tempesta tuonava e inseguiva urlando cose trascinate a forza attraverso il buio, intorno alla casa spaventata. Alla fine Laura tornò silenziosamente a letto e si sdraiò tremando.

Il giorno dei giochi

Era tardi quando, il mattino dopo, mamma chiamò Laura per la colazione. La tempesta era più forte e violenta. Il ghiaccio copriva le finestre e all'interno della casa, sebbene perfettamente chiusa, una spolverata di neve che sembrava zucchero ricopriva il pavimento e i letti. Al piano di sopra faceva così freddo che Laura afferrò i vestiti e corse a cambiarsi vicino alla stufa.

Mary era già vestita e stava aiutando Carrie ad abbottonarsi. Sul tavolo c'erano crema di mais caldo, latte, pane bianco e burro. La luce era bianca e fioca. Il ghiaccio era spesso sui vetri delle finestre.

Vicino alla stufa mamma rabbrividì. «Bene» disse «bisogna dar da mangiare agli animali». Indossò gli stivali e il maglione di papà e si avvolse nel grosso scialle. Disse a Mary e Laura che sarebbe rimasta fuori più a lungo questa volta, perché doveva dare da bere ai cavalli e alle mucche.

Mamma uscì e Mary restò immobile, paralizzata dalla paura. Ma Laura non riusciva a stare ferma.

«Dài» disse a Mary «abbiamo del lavoro da fare».

Lavarono i piatti e li asciugarono. Tolsero la neve dalle coperte e fecero i letti. Si scaldarono vicino alla stufa, poi la lucidarono e Mary pulì la cassetta della legna, mentre Laura spazzava il pavimento.

Mamma non era ancora rientrata, così Laura prese lo straccio della polvere e pulì i davanzali delle finestre, le panche e ogni angolo delle sedia a dondolo. Salì su una panca e pulì accuratamente la mensola dell'orologio e l'orologio, il cagnolino a chiazze marroni e la sua scatolina portagioie con la teiera, il piattino e la tazzina dorata sul coperchio. Ma non toccò la pastorella di porcellana, sulla mensola che papà aveva intagliato per mamma. Mamma non voleva che nessuno la toccasse.

Mentre Laura spolverava, Mary pettinò Carrie e mise la tovaglia a quadretti sul tavolo, poi tirò fuori i libri di scuola e la lavagna.

Alla fine il vento urlò nel ripostiglio e, in una nuvola di neve, apparve mamma.

La sua gonna e il suo scialle erano ghiacciati. Congelati. Aveva dovuto prendere l'acqua al pozzo per i cavalli, per Spot e per il vitello. Il vento le aveva rovesciato l'acqua addosso e il freddo aveva congelato i vestiti bagnati. Non aveva potuto portare abbastanza acqua nella stalla, ma sotto lo scialle ghiacciato era riuscita a trasportare quasi tutto il latte.

Si riposò un poco e disse che avrebbe portato dentro la legna. Mary e Laura la pregarono di lasciar fare a loro, ma lei disse: «No, bambine. Siete troppo piccole, vi perdereste. Non avete idea di cosa sia questa tempesta. Andrò io a prendere la legna. Voi apritemi la porta».

Fece un'alta pila di legna nella cassetta e intorno a essa, mentre loro le aprivano e le chiudevano la porta. Poi si riposò, mentre loro asciugarono le pozzanghere formate dalla neve sciolta sulla legna.

«Siete delle brave bambine» disse mamma. Guardò la casa e si complimentò con loro per aver fatto così bene i lavori mentre lei era fuori. «Ora» disse «studiate le vostre lezioni».

Laura e Mary sedettero con i loro libri. Laura fissava la pagina, senza riuscire a studiare. Sentiva le grida della tempesta e il lamento delle cose trasportate dal vento. La neve frusciava contro le finestre. Cercò di non pensare a papà.

All'improvviso le parole sulla pagina si sciolsero: una goccia era caduta sul libro.

Laura si vergognò. Persino Carrie si sarebbe vergognata di piangere, e Laura aveva otto anni. Si guardò intorno per assicurarsi che Mary non avesse visto cadere quella lacrima. Mary aveva gli occhi chiusi, così stretti che la sua faccia era tutta corrugata, e le sue labbra tremavano.

«Non mi sembra che abbiate voglia di studiare, bambine!» disse mamma. «E se oggi non facessimo altro che giocare? Da che gioco potremmo cominciare? Cosa ne dite del gioco dei quattro cantoni?»

«Oh, sì!» risposero.

Laura si mise in un angolo, Mary in un altro e Carrie nel terzo. C'erano solo tre angoli, perché uno era occupato dalla stufa. Mamma rimase al centro e disse: «Il povero gattino vuole un angolino?»

Poi ciascuna corse via dal proprio angolo, cercando di accaparrarsene un altro. Jack era elettrizzato. Mamma si infilò nell'angolo di Mary che, rimasta fuori, divenne il gattino. Poi Laura cadde addosso a Jack, e fu lei a rimanere fuori. Carrie correva ridendo dalla parte sbagliata, ma imparò in fretta il gioco.

Giocarono fino a rimanere senza fiato tra le corse, le grida e le risate. Dovevano riposarsi, così mamma disse: «Portatemi la lavagna, vi racconterò una storia».

«Perché ti serve la lavagna per raccontarci una storia?» chiese Laura mentre gliela porgeva.

«Vedrai» rispose mamma, e raccontò questa storia:

In un bosco lontano c'era un laghetto, come questo:
Il lago era pieno di pesci, come questi:
Un po' più in là vivevano due persone, ciascuna in una piccola tenda, perché non avevano ancora costruito le loro case:
Andavano spesso a pescare al lago, e tracciarono due sentieri incurvati, come questi:
Poco lontano vivevano un vecchio signore e una vecchia signora, in una casa con una finestra:
Un giorno la vecchia signora andò al lago a prendere un secchio d'acqua:
E vide tutti i pesci saltare fuori dal lago, così:
La vecchia signora tornò a casa di corsa e disse al vecchio signore: «Tutti i pesci stanno volando via dal lago!»
Il vecchio signore si affacciò per guardare, sporgendo il suo lungo naso fuori dalla casa:
E disse: «Sono solo girini!»

«È un uccello!» urlò Carrie, battendo le mani e ridendo fino a cadere dallo sgabellino. Anche Laura e Mary risero, e chiesero: «Raccontacene un'altra, mamma, per favore!»

«Beh, se proprio devo» disse mamma, e cominciò: «Questa è la casa che Jack costruì per due soldi» e riempì entrambi i lati della lavagna con le immagini di quella storia. Mamma lasciò che Mary e Laura la leggessero e che guardassero le immagini per tutto il tempo che volevano, poi chiese: «Mary, sapresti raccontare questa storia?»

«Sì!» rispose Mary. Mamma ripulì la lavagna e la diede a Mary: «Allora scrivila sulla lavagna» disse. «Laura, Carrie, ho un altro gioco per voi».

Diede il suo ditale a Laura, e quello di Mary a Carrie e mostrò loro come infilarlo nella neve depositata sulle finestre per formare dei cerchi perfetti. Potevano fare dei disegni sulla finestra.

Con tutti quei cerchietti Laura disegnò un albero di Natale, poi degli uccelli in volo e una casa di tronchi con il fumo che usciva dal camino. Fece addirittura un uomo cicciottello e una donna cicciottella. Carrie fece solo dei cerchi.

Quando Laura ebbe finito la sua finestra e Mary alzò gli occhi dalla lavagna, era quasi buio. Mamma sorrise:

«Siamo state così occupate che abbiamo dimenticato la cena» disse. «Ora venite a mangiare»

«Non devi occuparti degli animali prima?» chiese Laura.

«Non stasera» disse mamma «Questa mattina ho dato loro da mangiare tardi. Ne avranno abbastanza fino a domani. Magari la tempesta si sarà calmata».

Di colpo Laura si sentì triste, e anche Mary. E Carrie piagnucolò: «Voglio papà!»

«*Shhh*, Carrie» disse mamma. Carrie tacque.

«Non dobbiamo preoccuparci per papà» disse mamma con tono deciso. Accese la lampada, ma non la mise sulla finestra. «Venite a mangiare adesso» ripeté. «Poi andremo tutte a dormire».

Il terzo giorno

Per tutta la notte la casa fu scossa dal vento. Il giorno dopo la tempesta fu più violenta che mai. Il rumore del vento era ancora più terribile e la neve sbatteva contro le finestre con un gelido tintinnio.

Mamma si preparò per andare alla stalla: «Fate colazione, bambine, e state attente al fuoco» disse, poi uscì nella tempesta.

Rientrò dopo parecchio tempo, e un nuovo giorno ebbe inizio.

Fu una giornata lunga e buia. Si accalcarono vino alla stufa, con il freddo che entrava nelle ossa. Carrie era nervosa e il sorriso di mamma era stanco. Laura e Mary studiarono con impegno, ma non impararono le lezioni come si deve. Le lancette dell'orologio si muovevano così lentamente che sembravano non muoversi affatto. Alla fine quella luce grigia svanì e venne di nuovo la notte. La lampada illuminava le pareti di legno e le finestre bianche di neve. Se ci fosse stato papà, avrebbe suonato il violino e sarebbero stati tutti tranquilli e felici.

«Venite, venite!» disse mamma «Non dobbiamo restare ferme così. Volete giocare al gioco della culla?»

Jack non aveva mangiato. Sospirava tristemente nel suo angolino. Mary e Laura si guardarono, poi Laura disse: «No, grazie, mamma. Vogliamo andare a dormire».

Nel letto gelido Laura appoggiò la schiena contro quella di Mary. La bufera scuoteva la casa, che tremava e scricchiolava dappertutto. La neve raschiava il tetto. La testa di Laura era infilata sotto le coperte, ma le urla della tempesta erano peggio di quelle dei lupi. Fredde lacrime le scesero lungo le guance.

Il quarto giorno

Al mattino quelle urla erano cessate. Il vento soffiava con un lamento continuo e la casa era immobile. Il fuoco che bruciava nella stufa non scaldava.

«Fa ancora più freddo» disse mamma «non preoccupatevi dei lavori di casa. Copritevi e mettetevi con Carrie vicino alla stufa».

Dopo che mamma fu tornata dalla stalla, il ghiaccio sulla finestra a Est diventò giallo e brillante. Laura corse a soffiarci sopra e grattò via il ghiaccio fino a fare un buchino: c'era il sole!

Mamma guardò fuori, poi Mary e Laura fecero a turno per guardare la neve che si spostava a ondate sopra il terreno. Il cielo sembrava di ghiaccio. Anche l'aria sembrava fredda, tra quelle ondate di neve, e la luce che passava dal buchino non era più calda di un'ombra.

Attraverso il foro Laura vide qualcosa di scuro. Un grosso animale peloso vagava in mezzo alla neve. Un orso, pensò. Svoltò dietro l'angolo della casa facendo ombra sulla finestra.

«Ma!» urlò Laura. La porta si aprì e quell'animale peloso, ricoperto di neve, entrò. Aveva gli occhi di papà. E disse: «Siete state brave mentre non c'ero?»

Mamma corse da lui. Laura, Mary e Carrie accorsero, ridendo e piangendo. Mamma lo aiutò a togliersi la pelliccia. Era piena di neve, che cadde sul pavimento. Papà lasciò cadere anche il cappotto.

«Charles, sei congelato!» disse mamma.

«Solo un po'» rispose papà «e ho una fame da lupo. Lasciate che mi sieda accanto al fuoco e, Caroline, dammi qualcosa da mangiare».

Il suo volto era sottile, i suoi occhi grandi. Sedette tremante vicino al forno e disse che non aveva semplicmente freddo, era assiderato. Mamma scaldò in fretta un po' di brodo di fagioli e glielo diede.

«Questo sì che scalda» disse papà.

Mamma gli tolse gli stivali e lui mise i piedi a scaldare vicino al forno.

«Charles» disse mamma «Sei... hai...» mamma sorrideva, ma le sue labbra tremavano.

«Caroline, non devi mai preoccuparti per me» disse papà «è mio dovere tornare a casa e prendermi cura di te e delle bambine». Prese Carrie sulle ginocchia, poi abbracciò Laura con un braccio e Mary con l'altro. «Cosa hai pensato, Mary?»

«Ho pensato che saresti tornato» rispose Mary.

«Brava bambina! E tu, Laura?»

«Non credevo che fossi con il signor Fitch a raccontare storie. Ma lo speravo tanto»

«Visto, Caroline? Come avrei potuto non tornare a casa?» chiese papà «Dammi ancora un po' di brodo e ti racconterò tutto».

Lo lasciarono riposare, mangiare pane con il brodo e bere un tè caldo. I suoi capelli e la sua barba erano bagnati per via della neve che si scioglieva. Mamma li asciugò con un panno. Lui prese la sua mano, la tirò verso di sé e disse:

«Caroline, sai cosa significa questo tempo? Significa che avremo un raccolto eccezionale il prossimo anno!»

«Davvero, Charles?» disse mamma.

«Non ci saranno cavallette la prossima estate. In città dicono che le cavallette vengono solo quando le estati sono calde e gli inverni sono miti. È caduta così tanta neve che avremo per forza un buon raccolto l'anno prossimo»

«Bene, Charles» disse mamma.

«Stavano parlando di questo al negozio, ma io dovevo tornare a casa. Mentre uscivo, Fitch mi ha fatto vedere la pelliccia di bufalo. L'ha avuta a poco prezzo da un uomo che andava a Est con l'ultimo treno e che aveva bisogno di soldi per il biglietto. Fitch ha detto che potevo prenderla per dieci dollari. Dieci dollari sono tanti, ma...»

«Sono contenta che tu l'abbia comprata» disse mamma.

«Alla fine ho fatto bene a prenderla, anche se in quel momento non lo sapevo. Ma andando verso la città, il vento soffiava dritto verso di me. Faceva un freddo cane e il mio cappotto non riparava nemmeno dal vento. Così quando Fitch mi ha detto che potrò pagare quando avrò venduto le pellicce degli animali che catturerò la prossima primavera, ho messo la pelliccia di bufalo sopra il mio cappotto.

Appena arrivato nella prateria ho visto la nuvola a Nord-Ovest, ma era così piccola e lontana che pensavo di arrivare a casa prima di lei. A un certo punto ho cominciato a correre, ma non ero nemmeno a metà strada quando mi sono ritrovato in mezzo alla tempesta. Non riuscivo neanche a vedere le mie mani.

Non sarebbe un problema, se questi terribili venti non provenissero contemporaneamente da tutte le direzioni. Non so come sia possibile. Quando una tempesta arriva da Nord-Ovest, si dovrebbe poter andare a Nord mantenendo il vento alla propria sinistra. Ma non c'è niente che si possa fare in una tempesta del genere.

Comunque, pensavo di poter continuare a camminare diritto, anche se non riuscivo a vedere e a orientarmi. Così ho continuato a camminare, sempre dritto, pensavo. Finché non ho capito di essermi perso. Avevo camminato per almeno tre chilometri senza arrivare al ruscello, e non sapevo in che direzione continuare. Dovevo camminare fino a che la tempesta non si fosse calmata. Se mi fossi fermato, sarei morto congelato.

Avrei dovuto essere più resistente della tempesta. Ho camminato e camminato. Non vedevo assolutamente nulla. Non sentivo nient'altro che il vento. Continuavo a camminare in mezzo al bianco. Non so se ve ne siete accorte, ma sembra di sentire delle voci che urlano in mezzo alla tempesta»

«Sì, papà, le ho sentite!» disse Laura.

«Anch'io» disse Mary, e mamma annuì.

«E le palle di fuoco!» disse Laura.

«Palle di fuoco?» chiese papà

«Aspetta un attimo, Laura» disse mamma. «Va' avanti, Charles, cosa hai fatto dopo?»

«Ho continuato a camminare» rispose «ho camminato finché quella nebbia bianca non è diventata grigia, poi nera, e ho capito che era notte. Mi sono reso conto di aver camminato per quattro ore, e sapevo che queste tempeste durano tre giorni e tre notti. Ma ho continuato a camminare»

Papà si fermò e mamma disse: «Ho messo la lampada alla finestra perché potessi vederla»

«Non l'ho vista» disse papà «continuavo a sforzarmi di vedere qualcosa, ma non c'era nient'altro che il buio. Poi, a un certo punto, mi è mancata la terra sotto i piedi e sono caduto, saranno stati tre metri, ma in quel momento mi sembravano di più.

Non avevo idea di cosa fosse successo o di dove mi trovassi. Ma ero al riparo dal vento. La tempesta urlava lassù, però dove mi trovavo io l'aria era abbastanza calma. Ho tastato tutto intorno a me. C'erano mucchi di neve su tre lati, e sul quarto una specie di muro di terra nuda in leggera pendenza.

Ho capito che ero finito in un precipizio, da qualche parte in mezzo alla prateria. Ho indietreggiato carponi e ho sentito la terra solida dietro la schiena e sopra la testa. Ero come un orso nella sua tana. Ho pensato che non sarei congelato lì, al riparo dal vento e con la pelliccia di bufalo che mi scaldava. Così mi ci sono rannicchiato dentro e mi sono addormentato. Ero parecchio stanco.

Quanto ero felice di avere la pelliccia, e il cappello caldo con i paraorecchie, e quel secondo paio di calze belle spesse, Caroline!

Quando mi sono svegliato, sentivo la tempesta, ma era meno forte. C'era neve solida davanti a me, e ghiaccio nei punti in cui il mio fiato l'aveva sciolta. La bufera aveva riempito il buco che avevo fatto cadendo. C'erano almeno tre metri di neve sopra di me. Ma l'aria era buona. Mi sono sgranchito le braccia, le gambe, le dita delle mani e quelle dei piedi, e mi sono toccato il naso per assicurarmi che non stavo congelando. Potevo ancora sentire la tempesta, quindi mi sono rimesso a dormire.

Quanto tempo è passato, Caroline?»

«Tre giorni e tre notti» disse mamma «questo è il quarto giorno».

Poi papà chiese a Mary e Laura: «Sapete che giorno è?»

«È domenica?» disse Mary.

«È la vigilia di Natale» disse mamma.

Laura e Mary si erano completamente dimenticate del Natale. Laura chiese: «Hai dormito tutto il tempo, Pa?»

«No» disse papà «continuavo ad addormentarmi e a svegliarmi affamato, poi mi addormentavo di nuovo, finché non ce l'ho più fatta. Stavo portando a casa delle gallette per Natale. Erano nella tasca del cappotto di bufalo. Ne ho presa una manciata dal pacchetto e le ho mangiate. Poi ho preso una manciata di neve e l'ho mangiata. Era come se avessi bevuto. A quel punto non potevo fare altro che rimanere lì ad aspettare la fine della tempesta.

È stata dura, Caroline. Pensavo a te e alle bambine, sapevo che saresti dovuta uscire per occuparti degli animali. Ma sapevo di non poter arrivare a casa finché la tempesta non si fosse calmata.

Così ho aspettato a lungo; ero talmente affamato che ho mangiato il resto delle gallette. Non erano più grandi dell'estremità del mio pollice. Una sola non mi riempiva nemmeno la bocca, e nemmeno tutto il pacchetto ha placato la mia fame.

Ho continuato ad aspettare, dormendo un po'. Ho capito che era scesa di nuovo la notte. Quando mi svegliavo e ascoltavo attentamente, sentivo il suono debole della tempesta. Da quel rumore potevo intuire che la neve diventava sempre più spessa sopra di me, ma l'aria era ancora respirabile nella tana. Il calore del mio sangue mi impediva di congelare.

Ho cercato di dormire il più possibile, ma ero così affamato che continuavo a svegliarmi. Alla fine la fame mi impediva del tutto di dormire. Bambine, ero determinato a non farlo, ma dopo un po' ho dovuto. Ho preso il sacchetto di carta dalla tasca interna del mio vecchio cappotto e ho mangiato tutte le caramelle di Natale. Mi dispiace».

Laura l'abbracciò da un lato e Mary dall'altro. Lo strinsero forte e Laura disse: «Oh, Pa, sono felice che tu l'abbia fatto!»

«Anch'io, Pa, anch'io!» disse Mary. Erano davvero felici.

«Beh» disse papà «avremo un buon raccolto il prossimo anno, non dovrete aspettare fino a Natale per avere delle caramelle, bambine»

«Erano buone, papà?» chiese Laura «Ti sei sentito meglio dopo averle mangiate?»

«Erano buonissime, mi sono sentito molto meglio» disse papà. «Mi sono subito addormentato e devo aver dormito quasi tutto il giorno, ieri, e tutta la notte. Poi mi sono svegliato all'improvviso. Non c'era più nessun rumore.

Non sapevo se ero seppellito così in profondità sotto la neve da non sentire più la tempesta, o se era finita. Sono rimasto in ascolto. Era tutto così immobile che potevo sentire il silenzio.

Allora, bambine, ho cominciato a scavare nella neve come un tasso. Non ci ho messo molto a sbucare fuori dalla tana. Sono uscito a tastoni da quel mucchio di neve e... indovinate dov'ero?

Ero sulla riva del ruscello, proprio sopra il punto in cui abbiamo sistemato la trappola per i pesci, Laura»

«Cosa? Si vede dalla finestra!» disse Laura.

«Sì, e io vedevo la casa» disse papà.

Per tutto quel tempo era stato così vicino. La luce della lampada alla finestra non era riuscita a farsi largo nella tempesta, altrimenti papà l'avrebbe vista.

«Le mie gambe erano così intirizzite e indolenzite che riuscivo a malapena a reggermi in piedi» disse papà «ma ho visto la casa e mi sono messo in cammino più in fretta che potevo. Ed eccomi qua!» concluse, abbracciando Laura e Mary.

Poi andò verso la grossa pelliccia di bufalo ed estrasse dalla tasca una scatola di metallo piatta e squadrata. Chiese: «Indovinate cosa vi ho portato per la cena di Natale?»

Non riuscirono a indovinare.

«Ostriche!» disse papà «Delle belle ostriche fresche! Erano congelate quando le ho comprate, e lo sono ancora. Meglio metterle nel ripostiglio, Caroline, così si conserveranno fino a domani».

La vigilia di Natale

Papà andò presto a occuparsi degli animali quella sera; Jack andò con lui, seguendolo come un'ombra: non aveva alcuna intenzione di perderlo di vista un'altra volta.

Rientrarono infreddoliti e ricoperti di neve. Papà scosse via la neve dai piedi e appese il vecchio cappello con la mantella al chiodo vicino alla porta del ripostiglio.

«Si sta alzando di nuovo il vento» disse. «Arriverà un'altra tempesta prima che faccia giorno»

«Se tu ci sei, Charles, non m'importa delle tempeste» disse mamma.

Jack si sdraiò soddisfatto e papà sedette a scaldarsi le mani vicino alla stufa.

«Laura» disse «se mi porti la scatola del violino, suonerò una canzone».

Laura gli portò la scatola del violino. Papà lo accordò e mise della colofonia sull'archetto; poi, mentre mamma preparava la cena, riempì la casa di musica.

Charley è un bravo ragazzo,
Charley è un dandy!
Charley ama baciare le ragazze,
di lui sono pazze!

No, non voglio il tuo grano,
non voglio il tuo orzo.
Voglio farina tra mezz'ora:
devo fare una torta per Charley!

La voce gioiosa di papà rispecchiava l'allegria della canzone. Carrie rideva e batteva le mani, e i piedi di Laura danzavano.

Poi la melodia cambiò e papà cominciò a cantare una canzone che parlava della valle dei gigli:

Era una notte calma e silenziosa
e la luce pallida della luna
brillava dolcemente sulla collina e nella valle...

Papà guardò mamma, impegnata ai fornelli, mentre Mary e Laura sedevano in ascolto, e con il violino intonò un'altra canzone:

Mary, apparecchia la tavola,
la tavola, la tavola,
Mary porta le tazze,
prenderemo un tè!

«E io, cosa devo fare, Pa?» chiese Laura, mentre Mary prendeva i piatti e le tazze dall'armadio. Papà e il violino continuavano a cantare, in tono grave:

Laura, tu sparecchierai,
sparecchierai, sparecchierai.
Laura, tu sparecchierai,
dopo aver preso il tè!

Così Laura seppe che Mary doveva apparecchiare la tavola per la cena e che lei avrebbe sparecchiato alla fine.

Il vento urlava ferocemente. La neve frusciava contro le finestre. Ma il violino di papà suonava nella casa calda, illuminata dalla lampada. I piatti tintinnavano, mentre Mary apparecchiava la tavola. Carrie si dondolava nella sedia a dondolo e mamma andava tranquillamente dalla stufa alla tavola. Al centro mise una pentola piena di fagioli al forno, poi dal forno prese la teglia quadrata che conteneva il pane di mais. I due profumi si fusero deliziosamente nell'aria.

Il violino di papà rise e cantò:

Sono il capitano Jinks della Cavalleria
e il mio cavallo mangia mais e fagioli,
anche se costano un occhio della testa.
Sono il capitano Jinks, della Cavalleria!
Sono capitano dell'Esercito!

Laura accarezzò la testa di Jack e gli grattò le orecchie. Poi strinse affettuosamente la sua testa tra le mani. Era tutto così bello. Le cavallette se n'erano andate e l'anno successivo papà avrebbe raccolto il grano. L'indomani era Natale e c'erano ostriche per cena. Non ci sarebbero stati regali né caramelle, ma Laura non voleva niente di particolare ed era così felice che le caramelle di Natale avessero permesso a papà di tornare a casa sano e salvo.

«La cena è pronta» disse mamma con la sua voce dolce.

Papà rimise il violino nella scatola. Si alzò, si guardò intorno e sorrise: «Guarda, Caroline» disse «guarda come brillano gli occhi di Laura».

Indice

LA CASA NELLA PRATERIA
192 pagg.
ISBN 978-88-6145-838-3
euro 13,90

"Un libro per l'infanzia ottimo ancora oggi per istigare all'avventura sana nell'aria aperta e alla laboriosa manualità"

Bruno Ventavoli, *ttL- La Stampa*

"Alla fine ogni episodio diventa una magnifica avventura dove sono i valori dell'amicizia, del rispetto e della solidarietà a far superare le difficoltà e dove prevalgono i gesti semplici e genuini"

Francesca De Sanctis, *l'Unità*

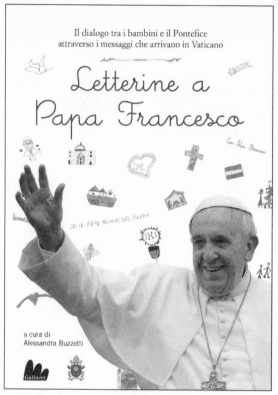

LETTERINE A PAPA FRANCESCO

160 pagg. a colori,
ISBN 978-88-6145-896-3
euro 12,90

"I più piccoli si rivolgono a Francesco con fiducia e confidenza, spesso in maniera buffa e fantasiosa come bene documenta il libro *Letterine a Papa Francesco* a cura di Alessandra Buzzetti"

Il Sole 24 Ore

"Dalle centinaia di lettere che ogni giorno riceve è evidente che tutti i bambini che le inviano siano conquistati dalla forza e dalla dolcezza del Santo Padre"

Vero

**I GEMELLI TEMPLETON
HANNO UN'IDEA**
232 pagg.
ISBN 978-88-6145-526-9
euro 16,50

**I GEMELLI TEMPLETON
DANNO SPETTACOLO**
272 pagg.
ISBN 978-88-6145-763-8
euro 16,50

"Una divertente serie che vi introdurrà nel mondo della scienza e della meccanica"

Andersen

"*I gemelli Templeton* è un'avventura davvero divertente ed educativa"

Il Tempo

**ELY + BEA
NESSUNA NOTIZIA,
BUONA NOTIZIA!**
128 pagg.
ISBN 978-88-6145-870-3
euro 9,90

**ELY + BEA
DETTANO LE REGOLE**
128 pagg.
ISBN 978-88-6145-897-0
euro 9,90

"Perno della trama sono le due fanciullette, il loro rapporto, la loro curiosità, la capacità di combinare guai, colpa di un'immaginazione assai fervida"

Alessandra Rota, *La Repubblica*

"Se le nostre figlie devono essere monelle, speriamo che lo siano così"

Style Piccoli - Corriere della Sera

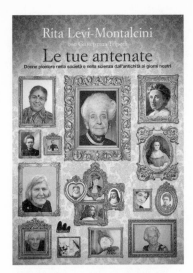

LE TUE ANTENATE
154 pagg.
ISBN 978-88-6145-798-0
euro 10,00

LE FATICHE DI ERCOLE
64 pagg. a colori
ISBN 978-88-6145-853-6
euro 12,90

"Racconta di donne pioniere: scienziate in epoche in cui la cultura era considerata un patrimonio solo maschile, coraggiose, intraprendenti, geniali"

Eleonora Barbieri, *Il Giornale*

"Tre sono le parole d'ordine che hanno seguito gli autori de Le fatiche di Ercole: leggerezza, comprensibilità e contenuti accattivanti"

Claudia Morgoglione, *la Repubblica*

Stampato per conto di Carlo Gallucci editore srl
presso Grafiche del Liri di Isola del Liri (Fr)
nel mese di dicembre 2015